ROWOHLT
BERLIN

Michael Lukas Moeller
Hans-Joachim Maaz

Die Einheit beginnt zu zweit

Ein deutsch-deutsches Zwiegespräch

Rowohlt · Berlin

1. Auflage September 1991

Redaktion Hubertus Knabe
Umschlaggestaltung Walter Hellmann
Satz Sabon (Linotronic 500)
Gesamtherstellung Clausen & Bosse, Leck
Printed in Germany
ISBN 3 87134 027 8

Inhalt

Michael Lukas Moeller

Die richtigen Zufälle zur rechten Zeit

Von der Geburt eines Buches

Die Idee zu diesem Buch entstand fast unbeabsichtigt. Alltägliches, neue Begegnungen, die aktuelle Zeitgeschichte, vergangene Arbeiten und unvorhersehbare Situationen bündelten sich gerade im rechten Moment.

Im Herbst 1990 kam ich auf eine Stippvisite in den Rowohlt Verlag. Ich wurde von Abteilung zu Abteilung gereicht und mit der üblichen Schmeichelei versehen, daß ein Autor der Brotgeber aller derjenigen sei, die mir nun in meinem Stammverlag die Hand schüttelten.

Wir wollten auch bei Michael Naumann, dem Verlagschef, vorbeischauen. Dieser hatte sich gerade mit einem drohenden Buchverbot auseinandersetzen müssen. Es betraf die Protokolle einer Sitzung des Schriftstellerverbandes der DDR, die zum Ausschluß bedeutender Autoren führte. Über dieses Politikum sprachen wir und waren damit auf die Probleme der deutschen Vereinigung gekommen.

Natürlich lenkten meine höflichen Gastgeber das Gespräch auch auf meine Bücher, vor allem auf den Band über Zwiegespräche mit dem Titel «Die Wahrheit beginnt zu zweit. Das Paar im Gespräch». So ergab sich ein seltsames Themengemisch aus den aktuellen Fragen der deutschen Vereinigung und den Möglichkeiten, die «Kommunikationskluft» in Partnerschaften durch die Kultivierung konzentrierter Gespräche zu überwinden.

In diesem Zusammenhang fiel mir ein Vortrag in Stuttgart ein, den ich ausgerechnet am Tag der deutschen Vereinigung, am 3. Oktober 1990, gehalten hatte. Der Termin war lange vor den dramatischen politischen Ereignissen festgelegt worden und sollte nicht extra rückgängig gemacht werden, obwohl es mir zunächst absurd schien, an einem solchen Tag über das Dilemma der sprachlosen Paare zu sprechen. Auf der Suche nach einer Brücke zwischen dem Paarthema und der Wiedervereinigung wurde mir jedoch plötzlich klar, daß die seelische Charakteristik des durchschnittlichen westdeutschen Mannes – scheinbar kerngesund, aber hochkonkurrierend – fast exakt mit dem allgemeinen Bild der Bundesrepublik übereinstimmte und die durchschnittliche Selbstbeurteilung der westdeutschen Frau – depressiv und eher zwanghaft ordentlich – mit dem Image der DDR. Wenig später, zu Beginn meines Vortrages, verlor ich mich so ausgiebig in dieser Gleichung des privaten und politischen Paares, daß fast eine halbe Stunde verging, ehe ich über Grundordnung und Geist der Zwiegespräche zu sprechen begann. In der anschließenden, lebhaft geführten Diskussion kam der Gedanke auf, größere west-ostdeutsche Tagungen anzuregen, auf denen sich die Teilnehmer jeweils zu zweit zusammensetzen, um west-östliche Zwiegespräche zu führen. Obwohl das einfach zu realisieren wäre – denn hundert und mehr Zwiegespräche können ohne weiteres parallel in einem einzigen großen Saal stattfinden –, kam mir der Gedanke damals noch absonderlich vor.

Immerhin erzählte ich in Reinbek meinen beiden Gesprächspartnern davon, zumal sie sich fragten, worin die besondere Nachfrage nach dem Buch über Paargespräche begründet sein könnte. Als ich schließlich erwähnte, daß ein unbewußtes Zusammenspiel zwischen den beiden deutschen Nationen auch von einem östlichen Psychotherapeuten behauptet worden sei, von Hans-Joachim Maaz in seinem Buch «Der Gefühlsstau», überraschte uns Michael Naumann plötzlich mit dem Vorschlag: «Wie wäre es, wenn Sie und Herr Maaz Zwiegespräche führten, um die ausstehende menschliche Vereinigung zwischen Ost- und Westdeutschland anzuregen? Sie brauchten die Gespräche nur auf Tonband aufzunehmen und zu überarbeiten.»

Mich verlockte die Idee Michael Naumanns aus mehreren Gründen: Es war eine politische Anwendung der Zwiegespräche, deren wohltuende Wirkung ich privat und beruflich schon viele Jahre erfahren hatte. – Es war eine Chance, durch eine sinnvolle und intensive Zusammenarbeit Hans-Joachim Maaz näherzukommen (auf einem Gruppenanalyse-Seminar hatte ich ihm kurz zuvor angeboten, meinen Vortragstermin zu übernehmen, damit er *seine* Sicht der Wiedervereinigung darstellte; die Art, wie er seine Auffassungen vortrug – mir schien sie eine besondere Mischung aus Gefühlsnähe, selbstkritischer Haltung, Kompetenz und Einfühlsamkeit zu sein –, hatte mich ganz für ihn eingenommen). – Als Psychoanalytiker konnte ich mein politisches Engagement auf diese Weise in die Tat umsetzen. – Als Deutscher wollte ich gern einen konkreten Beitrag zur Vereinigung leisten. – Und nicht zuletzt reizte mich ein spontanes, schnelles Buch, das mit der vorgeschlagenen Methode vielleicht tatsächlich zu realisieren war.

Alles andere aber sprach dagegen: mein persönliches Leben, meine berufliche Tätigkeit, meine aktuelle Belastung mitten im Wintersemester und die Planung für ein anderes Buch.

Vor allem aber war Hans-Joachim Maaz noch gar nicht gefragt worden. Vielleicht war es das Zutrauen in die Zwiegespräche und die Ermutigung durch meine Gesprächspartner, die mich zunächst einmal zustimmen ließen – doch insgeheim hatte ich auch die Hoffnung, Hans-Joachim Maaz würde ablehnen.

Aber Hans-Joachim Maaz sagte zu. Wir trafen uns an einem Wochenende im Januar 1991, als er in Halle gerade das zehnjährige Jubiläum seiner Psychotherapiestation feierte, und führten am Sonntag – bewußt ohne jede Vorbereitung – drei Zwiegespräche, die wir auf Tonband aufnahmen. Wenige Wochen später ergänzten wir sie in Berlin durch eine gemeinsame Reflexion des gesamten Gesprächsverlaufes. Von Anfang an wollten wir keinen Perfektionismus der seelischen Analyse und der menschlichen Vereinigung anstreben, wie er den Deutschen in Ost und West naheliegen könnte. Vieles haben wir gar nicht angesprochen. Wir wollten vor allem anregen und ermutigen, sich selbst auf diesen Weg zu machen.

Unsere gemeinsame dunkle Vergangenheit trat in diesen Wochen unheilvoll und beschämend zu Tage, als die Verantwortung der Deutschen für die Aufrüstung des Irak deutlich wurde – im Osten durch die Ausbildung von irakischen Terroristen, im Westen durch Waffengeschäfte und Embargokriminalität. Der Export mit unserer finstersten Ware, mit der unverarbeiteten Hitler-Imago, hatte auf beiden Seiten bestens floriert. Wer seine Geschichte nicht erinnert, ist dazu verdammt, sie zu wiederholen. Diese Einsicht gilt nicht nur im politischen, sondern gleichermaßen auch im persönlichen Bereich. Zwiegespräche könnten auch diese Schatten unserer Identität klären helfen.

Hans-Joachim Maaz

Befreiung durchs Gespräch

Für eine neue Offenheit in Deutschland

«Der Gefühlsstau – Ein Psychogramm der DDR» war mein erstes Buch. Den Antrieb dazu verdanke ich einer politischen Aufbruchstimmung, die ich in meinem Leben nicht mehr für möglich gehalten hatte – und, typisch für die deutsch-deutschen Verhältnisse, der Anregung und Ermutigung durch den West-Berliner Argon Verlag. Ich selber war damals noch viel zu eingeschüchtert und in der für DDR-Bürger typischen Position eines geduldeten Außenseiters befangen, um aus eigenen Kräften das für ein solches Projekt notwendige Selbstbewußtsein mitzubringen. Aber beim Schreiben befreite ich mich von dem «Schmutz» dieses unglückseligen Systems, der sich wie der Grauschleier unserer «Industrienebel» über meine Seele gebreitet hatte. Ich schrieb mehr für mich selbst als für die Öffentlichkeit, so daß im Grunde genommen eine Zweitfassung verlegt wurde, da der Originaltext zu einem Pamphlet geraten war, das bereits für meinen Lektor eine Zumutung zu sein schien. Aber beide Fassungen hatten ihren Sinn: die eine als ganz persönliche emotionale Abreaktion, die andere als sachlich-verallgemeinernde Darstellung unserer Verhältnisse aus der Perspektive eines Psychotherapeuten.

Es gab vielfältige Reaktionen auf dieses Buch, von denen mich die meisten erfreuten. Nur eine Meinung irritierte mich ernsthaft – wenn gesagt wurde, ich hätte mit meiner kritischen Beschreibung der Menschen und der Verhältnisse in der ehemaligen DDR jenen Kräften einen Dienst erwiesen, die mit der kapitalistischen Wirtschafts- und Lebensweise die ganze Welt kolonialisieren wollten. Durch mein Buch seien sie geradezu ermutigt worden, uns herablassend, belehrend und mit der arroganten Pose der Befreier und Erlöser zu okkupieren, um uns jetzt das «richtige Leben» beizubringen, womit in der Regel die «beglückende» Zucht und Ordnung der Geldwirtschaft gemeint ist. Für mich ist erschreckend, wieviel Mißverständnisse sich allein in der weitverbreiteten Haltung ausdrükken, daß wir «es» durch richtige und harte Arbeit schon auch bald schaffen könnten. Dabei werden weder die Not der Menschen wahrgenommen, die sich im Konkurrenzkampf aufreiben, noch die Fragwürdigkeit dieser Arbeitsziele, geschweige denn die Kränkung, die durch solche Botschaften bei den Empfängern ausgelöst wird.

Bei meinen Vorträgen in Westdeutschland bin ich aber auch häufig auf eine Reaktion gestoßen, die mich entlastet. Sie lautete: Dieses Buch hätte auch im Westen geschrieben werden können, nur seien die Kompensationsformen von Mangelsyndrom und Gefühlsstau den Verhältnissen der «sozialen Marktwirtschaft» angepaßt, das heißt geschickter verborgen und stärker verschleiert als bei uns. Solche Äußerungen sind geeignet, mich etwas zu beruhigen und die unerwartete Schuld, die mir zugeschoben wird, zu mildern. Weder konnte noch wollte ich Anfang 1990 die westlichen Verhältnisse zur Zielscheibe meiner Kritik machen – dazu fehlte mir sowohl die Kompetenz als auch die Motivation. Ich hatte genug mit mir und den Folgen des «real existierenden Sozialismus» zu tun.

Inzwischen sehe ich immer deutlicher, wie irrationale unbewußte Kräfte aus dem Osten und dem Westen in einem unheilvollen Zusammenspiel unsere Zukunft gefährden, und ich suche nach sinnvollen und realistischen Alternativen. In diesem Gemisch von Hoffnungen, Ängsten, Verunsicherungen und Empörungen erreichte mich ein Brief von Michael Lukas Moeller mit dem Vorschlag, mit ihm mehrere Zwiegespräche zu führen und daraus ein Buch zu machen. Als erstes reagierte ich mit meinem «Ossi-Komplex»: Ich fühlte mich geehrt, empfand aber zugleich die alte Scheu, das Vorhaben sei eine Nummer zu groß für mich. Außerdem hatte ich noch den enormen Streß beim Schreiben des «Gefühlsstaus» in Erinnerung, der mich hatte schwören lassen, zu den natürlicheren Rhythmen meines Lebens zurückzukehren und auf keinen Fall länger tagsüber in der Klinik zu arbeiten und nachts zu schreiben. Ich schlief zwei Nächte über diese aufregende Idee, bis ich sie innerlich bejahte: Ein solches Zwiegespräch erschien mir sinnvoll als eine dringende Ergänzung zum politischen und wirtschaftlichen Streit bei der Vereinigung Deutschlands – und als Gegengewicht zu der Verseuchung der menschlichen Beziehungen.

Noch bevor ich Michael Lukas Moeller persönlich kennengelernt hatte, war mir sein Buch über Selbsthilfegruppen eine große Hilfe für meine therapeutische Arbeit in der DDR. Selbsthilfegruppen waren offiziell in der DDR nicht erlaubt, weil es die Bürger nicht nötig hätten, sich selber zu helfen – der Staat sorge schließlich für jeden. Man spürte die subversive Gefahr für das System, wenn sich Menschen mit weniger Mißtrauen und Angst näherkamen und ihre Angelegenheiten selber in die Hand nahmen. An die Stelle der verordneten und verlogenen Solidarität der Menschen hätte eine wirkliche Verständigung treten können, und damit wäre die repressive und ängstigende Kraft des «divide et impera» zerbrochen. Wir hatten deshalb entgegen dieser Doktrin schon längere Zeit ehemalige Patienten zur Gründung von Selbsthilfegruppen ermutigt und dabei beratend unterstützt. Wir legten sogar Wert darauf, daß sie nicht in die schützenden Mauern kirchlicher Freiräume flohen, sondern als Selbsthilfegruppen bewußt alternative Inseln in der Gesellschaft bildeten, wobei es uns wichtiger war, die durch die Therapie gewonnene Offenheit, Ehrlichkeit, Eigenständigkeit und Kritikfähigkeit zu schützen und weiterzupflegen, als andere Menschen einzubeziehen oder gar öffentlich provozieren zu wollen. Moeller wußte nicht, wie sehr wir dabei von seinem Buch profitiert hatten.

Nach der «Wende» lernte ich ihn auch persönlich kennen und konnte mein positives Vorurteil im direkten Kontakt bestärken. Deshalb konnte ich mich relativ angstfrei und offen auf die Zwiegespräche mit ihm einlassen. Damit spreche ich allerdings auch eine Grenze für diese Form der Begegnung an, denn ich weiß nicht, ob Zwiegespräche überhaupt eine Chance haben, wenn keine grundsätzliche Sympathie, sondern offene Feindseligkeit zwischen den Gesprächspartnern herrscht. In meiner psychotherapeutischen Arbeit bin ich häufig auf große Angst vor Nähe und Verständigung gestoßen, weil Feindseligkeit und Distanz nur allzugern geschürt werden, um nicht an das schmerzliche Defizit nie erfahrener menschlicher Liebe erinnert zu werden. Andererseits habe ich in meinem Leben als Therapeut die entlastende Funktion von «Zwiegesprächen» zu schätzen gelernt, weil ich durch sie immer weniger Schwierigkeiten empfand, in dem Riesenkäfig unseres Landes mit den gefühlsblockierten Dompteuren, die mit Zuckerbrot und Peitsche arbeiteten, leben zu können. In meinen privaten Beziehungen, in der Partnerschaft, in Freundschaften und auch im Arbeitsteam, waren die Gespräche, in denen ich wirklich von mir sprechen und dabei die tieferen Beweggründe von Spannungen und Konflikten erkennen und auflösen konnte, eine zentrale Erfahrung der Befreiung. Ich sah in ihnen nicht nur ein Mittel, um irgendwelche Symptome und Beziehungsstörungen zu klären, sondern ganz allgemein die Grundlage für eine Lebensweise, die nicht mehr nur die großen Ersatzbedürfnisse – Konsum, Besitz und Macht – auf eine Weise ins Zentrum des Lebens rückt, daß wir daran krank werden, daß wir uns gegenseitig vernichten oder daß wir unsere Umwelt zerstören.

Das Angebot von Michael Lukas Moeller war für mich die Fortführung einer Lebenserfahrung und zugleich eine zeitgemäße Erweiterung auf die Ost-West-Situation mit ihren politischen Dimensionen. Ich sah die Chance, daß ein erfahrener und kompetenter West-Therapeut zu meinen DDR-Erfahrungen aus seiner Perspektive Stellung bezieht und seine Erfahrungen mit den westlichen Verhältnissen mit einbringt. Ich hoffte, in den Zwiegesprächen auch eine Antwort auf die drängende Frage zu finden, was man den herben Enttäuschungen, den tragischen Schicksalen und der psychosozialen Krise bei uns entgegensetzen kann, die eine Folge der vorschnellen politischen Vereinigung und der wirtschaftlichen Unvereinbarkeit beider Systeme sind. Ich habe Angst vor einem sozialen Chaos mit gefährlichen Folgen, ich habe Angst, daß die psychosozialen Grundlagen von Schuld erneut in Deutschland mit

Aktivismus und Abwehr verdrängt werden, ich fürchte sogar ein östliches Wirtschaftswunder (obwohl ich für dessen «Genüsse» am anfälligsten bin), weil die Ausdehnung unseres überzogenen Wohlstandes die Katastrophen auf dieser Welt noch verstärken würde.

Die einzige Chance, von unserem suchtartigen Abwehrverhalten und Agieren abzulassen, erkenne ich in der befreienden Erfahrung solcher zwischenmenschlichen Beziehungen, die emotionale Offenheit und Echtheit erlauben. «Zwiegespräche», wie sie Michael Lukas Moeller entwickelt hat, sind dafür ein hervorragender Anfang, zu dem wir möglichst viele Menschen ermutigen wollen – auch die, die politische Verantwortung tragen und häufig meinen, sie würden ihre Entscheidungen ausschließlich aufgrund rationaler Überlegungen treffen, und dabei die irrational wirksamen Kräfte verleugnen. Ein Hindernis, das ich allerdings sehe, ist das große Ausmaß aggressiver, schmerzlicher und trauriger Gefühle, für deren Abbau viel Verständnis und Toleranz erforderlich sind. Hierin hönnte eine Überforderung für solche deutsch-deutschen Zwiegespräche liegen.

Ich gehöre nicht zu den Vertretern jener therapeutischen oder seelsorgerlichen Richtungen, die stets am Positiven und Guten des Menschen ansetzen und dies befördern wollen. Nach allem, was mich meine Arbeit und das Leben gelehrt haben, bin ich vielmehr zutiefst davon überzeugt, daß «das Gute» erst dann eine Chance hat, wenn auch «das Böse» sich zeigen und ausdrücken durfte. Das unterdrückte «Böse» sucht sich immer einen Kanal, um sich abreagieren zu können, und benutzt, um sich zu tarnen, häufig ideologische, politische, religiöse und ökonomische Argumente. Erst wenn sich Haß, Schmerz und Trauer unverstellt zeigen dürfen, haben wir eine Chance, daran nicht zugrunde zu gehen. Mir scheint, daß der Mensch vor allem den Krieg bereithält, um dem nichtgelebten Bösen die Möglichkeit zu geben, sich auszuagieren. Obwohl ich nicht glaube, daß wir diesen Mechanismus wirklich beseitigen können, mag ich doch nicht aufhören, darauf zu hoffen. Dieses Buch ist ein Ausdruck dieser Hoffnung.

Im lauten Schreien nach mehr Geld, besseren Strukturen und

kompetenterem Personal, um die deutsche Einheit zu verwirklichen, drückt sich in meinen Augen ein beidseitiger Abwehrmechanismus aus: Wir wollen unsere inneren Wunden und unsere Schuld durch schnellen äußeren Erfolg behandeln; und von westlicher Seite soll kein Zweifel an dieser «erfolgreichen» Abwehrstrategie aufkommen. Dieser Weg ins erwünschte Glück ist aber unser Unglück. Wenn wir etwas vom Westen brauchen, dann sind dies ehrliche Schilderungen, wie die inneren Zustände und Befindlichkeiten der Menschen dort wirklich aussehen. Dies ist für die Betroffenen befreiend – und für uns im Osten eine Hilfe, schneller zur Ernüchterung zu kommen. Wir müssen uns verständigen, gemeinsam eine neue Lebensweise zu finden. Viel Zeit bleibt dafür nicht.

Die Vereinigung als Kränkung

Erstes Zwiegespräch

Über die Trostlosigkeit des Ostens und den Terror der Fülle im Westen – über das Trennungstrauma der DDR-Kinder und das Fernsehen als elektronische Mutterbrust der West-Kinder – über die Lustfeindlichkeit des Ostens und die Erotisierung des Alltags im Westen – über den «Plüschtier-Komplex» der DDR-Mütter und die «Scheuklappenhaltung» beim Einkauf im Westen – über die verlorene Geborgenheit der Ostdeutschen und über die Beziehungsschwäche der Westdeutschen – über neue Demütigungen im Osten und die verräterische Sauberkeit im Westen

Maaz: Das, was wir jetzt tun wollen, kommt mir wie ein Abenteuer vor. Ich lasse mich auf ein Gespräch mit einem Menschen ein, den ich kaum kenne. Mir hilft dabei allerdings ein Grundgefühl der Sympathie Ihnen gegenüber, so daß ich hoffe, spontan und offen sein zu können.

Noch nie in meinem Leben hat mich ein historischer Prozeß so beunruhigt wie der gegenwärtige. Ich habe den Eindruck, daß ich die Vorgänge bei uns viel weniger als vor der «Wende» überschauen oder gar beeinflussen kann. Obwohl ich mich in dem damaligen System oft nicht wohl fühlte und innerlich dagegen rebellierte, obwohl ich mitunter verzweifelt, empört oder haßerfüllt war, wußte ich doch immer genau: Hier lebe ich, hier habe ich meinen Platz, hier habe ich meine Bedeutung – und hier habe ich auch meine Möglichkeiten, mich unangenehmen Dingen zu entziehen. Ich empfand in den repressiven Strukturen der DDR eigenartigerweise immer ein Sicherheitsgefühl und hatte mich ganz gut eingerichtet; ich lebte so, als würde das Ganze ewig so weitergehen. Manchmal hat mich das zwar deprimiert, aber es hat mir auch Geborgenheit gegeben. Das alles ist jetzt verlorengegangen. Ich weiß nicht, wo mein Platz ist, was meine Aufgabe ist, wie ich mich in den neuen Verhältnissen einrichten soll. Meine bisherige Identität ist in Frage gestellt, und gleichzeitig tut sich eine Fülle neuer Möglichkeiten auf, die mich begeistern oder ängstigen. Noch völlig unklar ist mir, wie ich mich in Zukunft unangenehmen Ansprüchen der neuen Macht entziehen kann. Wie kann ich den neuen repressiven Strukturen, der Bürokratie, dem Konkurrenzkampf, den neuen Lippenbekenntnissen, dem verwirrenden Terror der Überangebote halbwegs entkommen. Ich konnte viele Normen des SED-Regimes unterlaufen, das gehörte zu meiner Identität – aber ich kenne noch nicht die neuen Schleichwege und Tricks, wie ich mir Unangenehmes der neuen Gesellschaft vom Leibe halten kann. Ich habe den Gegner verloren und weiß noch nicht, wer die neuen Gegner sind, wer die Freunde und Verbündeten. Die meisten Beziehungen haben sich kolossal verändert, sind völlig auseinandergegangen; dafür sind ganz neue Beziehungen entstanden oder entstehen gerade – so wie zu Ihnen. Ich glaube, daß die Existenz eines Gegners großen Einfluß auf mein Leben hatte, und ich will nicht hoffen, daß ich in einem solchen Feindbilddenken befangen bleibe. Aber ich will mich auch weiterhin für das Lebendige einsetzen, und das fügt sich nicht sehr gut in die politische Landschaft. Und ich weiß nicht, wie ich es unter den neuen Bedingungen umsetzen soll. Es fällt mir schwer, Prioritäten zu setzen, so daß ich mich manchmal blind und taub machen muß, um mich nicht zu verlieren. Ich lerne, mich neu einzufügen und zugleich den notwendigen Protest und die Abgrenzung neu zu formulieren. Das ist ziemlich lästig, weil es mir im Grunde genommen aufgenötigt wird. Es hat ein Machtwechsel stattgefunden, und wir sind schon wieder Befehlsempfänger. Mit der alten Macht kannte ich mich aus, mit den neuen Machthabern weiß ich noch nicht, woran ich bin.

Moeller: Das verblüfft mich sehr. Die Frage, wie werde ich mit den neuen Machthabern klarkommen, könnte ich im Westen in dieser Form gar nicht formulieren. Ich sehe Regierung, Behörden und alles, was noch über mir ist (– es ist ja nicht mehr viel –), in keiner Weise als «Machthaber». Ich könnte dieses Wort in mir gar nicht finden. Aber ich denke, daß Sie damit Ihre seelische Situation gut umrissen haben.

Bei mir entdecke ich zwei Empfindungen: Wenn wir uns hier gegenübersitzen, habe ich zum einen das Gefühl, es wird mir fast zu dicht. Das muß eine Bedeutung haben, denn es gehört zu den Grunderfahrungen von Zwiegesprächen, daß das, was ich unmittelbar wahrnehme, wiedergibt, was sich unbewußt bei mir tut. Ich habe das Gefühl, ich möchte ein Stück zurückweichen, fast als ob mir die Nähe zuviel wird, obwohl ich mich für einen Menschen halte, der Nähe gut, ja sogar gern erträgt. Das andere, was mich bewegt und mich jetzt wieder überkommt, ist das Gefühl, das zu meiner Überraschung während der Eisenbahnfahrt von Leipzig nach Halle aufkam: daß ich traurig werde. Ich spüre eine große Trauer in mir.

Es ist für mich nicht ganz einfach, herauszufinden, wodurch diese Trauer eigentlich bewirkt wird. Ich erzähle vielleicht am besten die Szene: Ich saß in dem für westliche Verhältnisse ziemlich verwahrlosten und düster-dunklen Zug von Leipzig nach Halle. Es war ein Doppeldeckerzug, ähnlich, wie ich sie von den Pariser Vorortzügen her kenne, so daß ich sogar annahm, es könnten französische Waggons sein, welche die DDR aufgekauft hatte. Mich überkam zuerst ein Gefühl von Fremdartigkeit und Interessiertheit, so wie in einer spannenden, anderen Welt. Doch während ich in dem Zug saß, eine dreiviertel Stunde durch den Abend fuhr und draußen die Häuser sah, überkam mich ein Gefühl tiefer Traurigkeit. Früher hatte ich immer ein Stück Abwehr der DDR gegenüber. Da waren zu viele unangenehme Erlebnisse mit den Kontrolleuren, mit dieser Zwanghaftigkeit, die mich belästigte. Ich lebte in der Vorstellung, jeder müsse sich diesem Regime gegenüber unheimlich korrekt verhalten, und wenn man abweiche, habe man gleich eine schlimme Strafe zu gewärtigen. Es entlastet mich sehr, daß dieser beklemmende Alltagsmilitarismus jetzt weg ist. Ich habe das Gefühl, ich kann mich frei bewegen, werde nicht mehr von links und rechts bespitzelt und muß keine Angst mehr haben. Aber darunter wurde plötzlich ein großes Trauergefühl sichtbar. Ich glaube, daß es zwei Ursachen dafür gibt: Zum einen sah ich vor mir eine trostlose Welt. Ich war auf einmal Augenzeuge meines Vorwissens: Es ist hier alles verkommen; es ist weder für die Häuser noch für die Felder gesorgt worden; das Land ist regelrecht vergiftet. Kann ich das Wasser trinken? Kann ich wirklich frei durch die Landschaft wandern, ohne mich zu schädigen? Zum anderen wurde mir bewußt, was das für eine ungeheure Zeitspanne ist, diese vierzig, fünfzig Jahre an *ungelebtem Leben*! Was ist da alles versäumt worden, unterdrückt worden und nicht zum Leben gekommen? Diese Frage berührt mich sehr – vielleicht weil ich als Kind im Krieg aufwuchs.

Das dritte Empfinden ist, daß ich mich wieder rückverbunden fühle mit dem ganzen Deutschland, mein Grundgefühl während der «Wende». Der Osten erscheint mir als Teil meiner Heimat. Ich bin 1937 in Hamburg geboren, aber in Schlesien als Kind aufgewachsen. Es liegt im Osten. Die DDR und Schlesien sind für mich seelisch wie eine Welt. Der Tag des 9. Novembers, als die Mauer fiel, hat mich tief aufgewühlt. Wie wohl die meisten Deutschen hatte ich das Gefühl, als wenn sich eine körperliche Wunde schließt und abheilt. Das ungelebte Leben ist also nicht nur das der Menschen in der DDR, mit denen ich mich an diesem Tag identifiziert, in die ich mich eingefühlt habe, sondern es ist auch mein eigenes ungelebtes Leben: das Gefühl des Gespaltenseins, des von der eigenen Heimat Abgekoppeltseins, als lebte ich kein wirklich ganzes Leben. Was bedeutet das Gespaltensein Deutschlands für mein Innerstes, und warum macht es mich so traurig? Es ist eine weiche, gelöste, fast freundliche Trauer; keine Depression, keine Wut, keine Melancholie, sondern ein wirkliches Traurigsein, bei dem mir zum Weinen ist. Ich hatte eher härtere Gefühle erwartet: Wie gräßlich ist diese Welt, wie scheußlich sind die Straßen! Ich sehe mich noch im Omnibus vom Flughafen zum Bahnhof Leipzig sitzen; der Motor war furchtbar laut, ich wurde durchgerüttelt und befand mich in einer vollkommen anderen, in einer spröden, wenig entgegenkommenden Welt. Es kam mir vor, als führe ich zur Nazi-Zeit über diese holprigen und ungepflegten Straßen. Das ganze Zusammentreffen mit der DDR ist für mich eine Wiederbegegnung mit dem Untergang des Nazi-Reiches und den ersten Nachkriegsjahren.

Maaz: Wenn Sie so von Ihrer Traurigkeit über den Verfall und das ungelebte Leben bei uns sprechen, über Ihre Ängste angesichts der katastrophalen Bilder hier, dann kränkt mich das. Ich fühle mich angegriffen, höre es wie einen Vorwurf. Es ist ja *mein* Land, *meine* Heimat, wenngleich ich ein gebrochenes Verhältnis dazu habe. Ich stamme nämlich aus dem Sudetenland, wurde 1943 dort geboren, 1946 vertrieben, habe also fast im wörtlichen Sinne meine «Kinderstube» verloren. Meine Eltern sind in Sachsen hängengeblieben, wo sie sich aber nie zu Hause gefühlt haben, was sich auf mich übertragen hat. Ich war eigentlich nie in Sachsen – und damit auch nie in der DDR – wirklich zu Hause. Dennoch habe ich hier gelebt und fühle mich auch verantwortlich, wenn jemand kommt und sagt: «Mensch, wie ist das hier alles verkommen, vergiftet und verdreckt!» Ich habe das Gefühl, als würde meine Wohnung angegriffen und ich der Schlamperei bezichtigt werden. Ich spüre Unmut und Ärger, wenn ich mir sagen lassen muß: «Warum habt ihr nicht dafür gesorgt, daß es hier ordentlicher und sauberer ist, daß hier bessere Verhältnisse sind?» In gewisser Weise ist eine solche Anklage berechtigt, andererseits aber auch ungerecht, weil es sehr schwer war, etwas zu verändern. Eigene Initiativen sind immer wieder gebremst worden oder haben sich an den Widerständen einfach wund gelaufen. Oder sie wurden als eigensinnig oder sogar als subversiv diffamiert, wenn sie von der «Parteilinie» oder auch nur von der Gewohnheit abwichen. Irgendwann haben wir uns dann dem Trott überlassen und den Verfall gar nicht mehr richtig wahrgenommen.

Bei meinen ersten Westreisen war ich fasziniert und geblendet von der Ordentlichkeit, der Sauberkeit und der Perfektion. Erst im Vergleich wurde mir der Kontrast zwischen unserer Schlamperei und eurer Perfektion richtig bewußt. Ich dachte, man kann hier ohne Bedenken auf dem Fußboden der Toiletten essen. Bei einer Autofahrt durch Bayern war ich ganz überrascht, als unerwartet «Landluft» ins Auto drang – das haben sie also noch nicht im Griff, dachte ich mit unverhohlener Ironie. Ich stand manchmal so gebannt wie ein kleiner Junge vor herrlich bunten Märchenbildern, vor diesem Glimmer und Glitzer, vor der Fülle und Vielfalt. Mittlerweile hat sich diese Faszination schon etwas abgenutzt, und ich frage mich, wie die Menschen im Westen mit dem Terror der Reklame, der Überangebote und der vielen Reize fertig werden; wo denn der Dreck, die Unordnung, das Vergiftete und das Vergammelte, was bei uns so ins Auge fällt, eigentlich sind. Ich habe inzwischen natürlich auch die Bettler und Obdachlosen gesehen, und es war mir peinlich, an ihnen vorüberzugehen. Ich schämte mich hinzuschauen. Einmal hielt mir eine Rumänin, die ein Kind auf dem Arm trug, einen Zettel hin, auf dem sie ihr Elend schilderte – das war noch vor der Wirtschafts- und Währungsunion. Ich stammelte verlegen, daß ich aus der DDR käme und selber froh wäre, wenn ich ein paar Westmark hätte. Eine groteske Situation: Ein Ostler bettelte einen anderen Ostler an – und hatte sogar recht damit. Ich mußte lachen, obwohl mir eigentlich zum Heulen oder zum Schreien zumute war.

Allmählich begann ich, auch aus meinen beruflichen Erfahrungen heraus zu denken: Konnte es nicht sein, daß der fantastische äußere Schein vor allem die unbewältigten Probleme verbergen sollte, alles das, was Menschen ganz verborgen in sich tragen – ihr Elend, ihren Dreck, ihre Schwächen? Verkörpern wir Ossis vielleicht nur die unbewußte Schattenseite der West-Bürger, die auf diese Weise ihre eigene seelische Armut, den inneren Verfall gar nicht mehr spüren mußten? Ich habe übrigens an dem Verfall bei uns nicht nur gelitten, er hatte auch etwas Anheimelndes. Denn das Leben ist für mich nicht nur Erfolg und Sauberkeit, und jedes Zuhause hat nicht nur eine gute Stube, sondern auch ein Kellerloch. Jetzt aber fürchte ich, daß wir unsere dunklen Seiten bald nicht mehr zeigen dürfen, daß wir uns gleichfalls nach westlicher Lebensart aufmotzen müssen. Vielleicht werde ich auch bald Krawatten tragen müssen, Anzüge und Seidenhemden – aber was verbergen die Menschen im Westen eigentlich hinter ihrer Eleganz, ihrer Höflichkeit und ihrer Eloquenz?

Moeller: Sie haben versucht, meiner Trauer eine Deutung zu unterlegen. Natürlich ist es möglich, daß meine Traurigkeit ein Gefühl ist, das ich im Westen nicht mehr fühle, weil ich von Glimmer, Glanz und Gloria umgeben bin. Aber diese Trauer macht sich auch an etwas fest. Und diese äußeren Anlässe und das, was sie in mir auslösen, möchte ich als mein Empfinden ernst nehmen. Möglicherweise handelte es sich – wie wir es aus unserem Beruf kennen – um eine Gegenübertragung, in diesem Falle nicht auf einen Menschen, sondern auf einen «Gesamtrahmen». Mir ist nämlich aufgefallen, daß ich nicht auf Einzelheiten reagierte, sondern auf ein ganzes Geflecht von Dingen, aus dem ich gar nicht mehr herauskam. Es war ja nicht nur der Autobus mit dem lauten Motor; es war nicht nur der mürrische, dicke Omnibusfahrer, der wie ein Koloß dasaß und mich daran denken ließ, daß nach einer Ernährungsstudie in der DDR viel zu fett gegessen wird; es war auch nicht nur der Bahnhof oder meine Suche, ob ich irgendwo etwas Obst finden könnte; und es waren nicht nur die verfallenen Häuser. Es war alles zusammen, Detail für Detail – wo ich hinguckte, war ich in einer anderen Wirklichkeit. Vielleicht wurde ich traurig, weil ich mich entwurzelt fühlte, aus meinem normalen Gefühl herausgezogen wurde, eine Art Fremdheitsschock, zumal ich aus Paris kam und ich den Weg von Paris nach Frankfurt schon als sehr ernüchternd erlebte und um so mehr dann den von Frankfurt nach Leipzig und Halle.

Ich will aber aufgreifen, was Ihre Deutung bei mir bewirkt hat. Ich bin wie Sie der Meinung, daß das schnellebige, teilweise hochkonkurrente Leben in Westdeutschland den meisten Menschen und auch mir kaum noch Zeit zum Fühlen läßt. Wenn ich zum Beispiel ein schönes Wochenende in meiner Zweierbeziehung erlebt habe, gerät es im Nu hinter meinen seelischen Horizont, weil tausend Aufgaben auf mich zukommen, die ich zu erledigen habe. Natürlich kann ich jetzt sagen, so ist eben meine Persönlichkeitsstruktur. Doch im letzten Jahrzehnt habe ich sehr bewußt darauf geachtet, zu mir selbst zu kommen, etwa durch mehrwöchige «Reisen in die Einsamkeit», in denen ich nicht rede und kaum handle. Ich habe nicht nur das Gefühl, daß einem das westliche Leben nicht mehr genügend Raum für innere Lebendigkeit läßt, weil man zu sehr in die Leistung und ihr Pendant, in den Konsum, ja selbst in der Freizeit durch eine ausgeklügelte Industrie in Aktivitäten und Streß hineingezogen wird; ich erlebe hier vielmehr ein ganz anderes, wohltuendes, beinahe anheimelndes Gefühl, das sich einstellte, als ich bei Ihnen in diesem winzigen einfachen Klinikzimmer lebte. Hier gibt es nichts zu bewundern, nichts, das einen – wie im Westen – veranlassen könnte, lauthals «Oh» und «Ah» zu rufen. Und gerade deswegen bleibt man bei sich. Das ist wohl – ich möchte beinahe sagen – ein Vorteil des einfachen, wenn auch verkommenen Lebens.

Maaz: Sie machen deutlich, daß Ihr Erleben bei uns verdrängte, abgespaltene Gefühle aktiviert. Dies ging uns bei unseren ersten Reisen nach Westdeutschland sehr ähnlich. Ich habe mehrfach heftig geweint, und meiner Partnerin ist es häufig auf den Magen geschlagen, so daß sie sich mehrfach übergeben mußte. Ich war auf der Zugspitze, wo ich zuallererst hin wollte, weil ich bereits als Vierzehnjähriger einmal dort war. Ich ging dort den Spuren meiner Kindheit nach, und mir wurde ganz traurig und wehmütig zumute. Am Rhein, vor dem Kölner Dom, in Heidelberg, immer wieder kamen mir die Tränen. Gedanken und Bilder stellten sich ein zur deutschen Kultur und Geschichte, die ich ja nur vom Hörensagen kannte. Und ich hatte auf einmal das Gefühl vergebener Möglichkeiten, vertanen Lebens und aufgenötigter Unfreiheit. Während ich mit freiem Blick auf die Landschaft schaute, empfand ich die Mauer wie nie zuvor als riesigen, viel zu engen Käfig. Denn nicht reisen zu dürfen bedeutete auch, sich nicht entfalten zu dürfen. Mein Schmerz war Ausdruck einer unerfüllten tiefen Sehnsucht nach mehr Expansion. Ich verstand plötzlich auch den häufigen Druck auf meinem Herzen als Symptom des gedrückten und gezügelten Lebens und mein Herzstolpern als das hilflose Bemühen, diesen Zügeln zu entkommen. Ich wollte immer «hüpfen» und durfte es nicht. Schon in der Kindheit litt ich unter Einengung: «Du mußt bei uns bleiben. Du mußt tun, was wir dir sagen. Sei vorsichtig. Halte dich zurück. Das Leben ist gefährlich und ungerecht.» Ich bin im Krieg geboren und aus meiner Heimat vertrieben worden. Und dann noch diese Mauer, die im Grunde genommen meine frühen Erfahrungen nur bestätigt hatte. Was aber hatten der Rhein, die Zugspitze damit zu tun? Ich habe meine kindlichen unerfüllten Bedürfnisse darauf projiziert – meine Sehnsucht nach freier Entfaltung, nach Raum, nach Weite brach plötzlich wieder schmerzlich durch. Und die Fülle in den Obst- und Gemüseläden, in den Geschäften und Warenhäusern hat mich oft unfähig gemacht zuzulangen. Ich spürte den Wunsch, voll ins Leben zu greifen – und konnte es nicht.

Moeller: Unsere Reisen in den jeweils anderen Teil von Deutschland wirken merkwürdig komplementär: Ich erlebe hier die Traurigkeit und die Kargheit – und Sie, der Sie die Sehnsucht in sich spüren, sich freier entwickeln zu können, erleben die Fülle als Barriere. Mit vielen Wahlmöglichkeiten leben zu können ist sicher ein tiefes Bedürfnis aller Menschen. Und doch spüre ich jetzt, wie ich einen Spiegel vorgehalten bekomme, wie die Fülle selbst ein Terror werden kann, wie sehr sie einen innerlich auch verwirrt, ohne daß ich es noch merke. Zwei Empfindungen habe ich dabei. Die erste lautet etwa: «Na ja, wir sind das gewöhnt, wir sind da hineingewachsen und können mit den Dingen umgehen.» Andererseits entdecke ich auch bei mir, wenn ich einen Supermarkt oder ein Kaufhaus betrete, daß ich mit sehr viel mehr wieder herauskomme, als ich eigentlich kaufen wollte. Die Verführungskunst, die Werbepsychologie ist so groß, daß man beinahe gegen den eigenen Willen in neue Wünsche hineingezogen wird. Konsumbedürfnisse werden in mir mobilisiert, die ich vorher eigentlich kaum hatte – und das entfremdet mich von mir selbst.

Maaz: Bei meinen ersten Westreisen bin ich dem richtig zum Opfer gefallen. Als DDR-Bürger war ich es gewohnt, wenn ich irgendwo einkaufen ging, stets eine Suchhaltung einzunehmen; immer war ich bemüht, etwas zu finden. Mit dieser Haltung bin ich im

Westen in die Kaufhäuser gegangen und fand mich regelmäßig mit irgendwelchen Dingen in der Hand, die ich gar nicht haben wollte oder brauchte. Ich war irritiert und gereizt deswegen. Wenn ich mich dagegen zu der notwendigen «Scheuklappenhaltung» zwang, fühlte ich mich genauso unzufrieden und beschissen, wie wenn ich in der DDR einkaufen ging. Und wenn ich den gleichen oder ähnlichen Artikel ein paar Schritte weiter noch billiger hätte bekommen können, war der Ärger perfekt.

Moeller: Man kommt nicht zu sich selber – im Grunde eine Parabel...

Maaz: Ich konnte mich diesen verlockenden Angeboten nicht entziehen. Und jetzt, wo wir westliche Lebensart massiv aufgedrängt bekommen, geht es mir nicht viel besser: Ich muß mich für eine neue Zeitung entscheiden, muß Versicherungen abschließen, die Verwaltung meiner ganzen Existenz neu regeln – das ist alles lästig, vielfach verwirrend und verbunden mit einem Wust an Bürokratie, mit viel Zeit, Schlangestehen, Verunsicherung durch Unkenntnis und mit der Erfahrung, viele Fehler zu machen. Ich fühle mich wieder wie ein Schüler. Andere wissen alles besser. Und das kränkt mich sehr. Ich verspüre im Moment weder Lust, noch will ich mir Zeit dafür nehmen, die neuen Ordnungen und Regeln kennenzulernen und zu verstehen. Die Bürokratie erstickt im Moment mein Leben. Die tägliche Flut von Informationen, verlockenden Angeboten, neuen Möglichkeiten und Pflichten macht mich fertig. Da wird mir etwas Hervorragendes in Aussicht gestellt, ich werde persönlich angesprochen, mir wird zugesichert, daß ich etwas gewonnen hätte, ich werde mit Sonderangeboten gelockt – so hat sich noch keiner um mich bemüht. Es ist so, als würde sich für den mangelgewohnten und frustrierten DDR-Bürger plötzlich ein Paradies auftun – meine Bedürftigkeit bricht durch, und ich fühle mich manchmal akut neurotisch und wie gelähmt, bevor ich dann doch schweren Herzens die vielen bunten Sachen in den Papierkorb werfe.

Im Rahmen meiner ärztlichen Tätigkeit wollen die Krankenkassen und Versicherungsträger jetzt zig Formulare ausgefüllt haben.

Sie prüfen, ob sie meine Arbeit akzeptieren können. Da ergreift mich der Zorn, und ich fluche: Die können mich besuchen und mir Blumen bringen, daß ich weiterhin gut und gerne meine Arbeit machen will! Was bilden die sich eigentlich ein, was gibt ihnen das Recht, einen 47jährigen Mann so zu behandeln? Muß ich tatsächlich irgendeinen Bürokraten davon überzeugen, daß meine Arbeit etwas taugt, glauben die wirklich, ich hätte kein eigenes berufliches Ethos, keine kritische Instanz in mir selbst? Wieso eigentlich soll ich mich so demütigen lassen, haben wir einen Krieg verloren? Haben wir neue Besatzer? Ein solcher Affekt ist da, auch wenn ich natürlich weiß, daß die neuen Verhältnisse auch neue Ordnungen benötigen. Was mich stört, ist die Art und Weise, wie das alles geschieht. Und ich frage mich natürlich, warum die Westler, die schon lange in diesen Verhältnissen leben, sich das alles gefallen lassen.

Moeller: Ich glaube nicht, daß das, was Sie sagen, ein Übergangsphänomen ist und sich «die im Osten» in zwei, drei Jahren an alles gewöhnt haben. Vielmehr werden in unserer Begegnung Grundstrukturen des westlichen Lebens sichtbar. Denn mir geht es im Grunde genauso wie Ihnen, nur daß ich für das von Ihnen erlebte Gefühl taub geworden bin.

Maaz: Wenn Sie sagen, daß Ihnen wenig Zeit bleibt, sich auf Ihre Gefühle einzulassen, obwohl Sie darum bemüht sind, heißt das doch, daß Sie die westliche Lebensart dazu zwingt, gegen Ihre Überzeugungen und Wünsche zu handeln. Obwohl unsere gesellschaftlichen Verhältnisse völlig anders waren, haben auch wir uns in der Regel keine Zeit genommen, auf unsere Gefühle zu achten. Aus meiner Arbeit weiß ich, daß die Gefühle, die in vielen Menschen stecken, für sie sehr bitter und belastend wären, wenn diese auftauchen würden, und deshalb die meisten auf der Flucht davor sind oder sich auf jede erdenkliche Weise ablenken, um ja nicht fühlen zu müssen, wie sie sich tatsächlich befinden.

Moeller: Bitte, was geht Ihnen durch den Sinn bei der Formulierung «belastend und bitter»?

Maaz: Zum Beispiel, daß ich schon in der Kindheit das Gefühl hatte, ich darf nicht alles sagen, nicht zeigen, wie es mir wirklich geht, und nicht offen aussprechen, was ich wirklich denke und möchte. Ich habe gelernt, mich zu verstellen – wie viele Menschen. Ich hatte oft den Eindruck, daß das, was ich will und empfinde, nicht richtig sei. Es gab immer Leute, die mir sagten: «Nein, wie kannst du nur so denken! Das ist ganz falsch. Oder: Das ist ja lächerlich.» Das begann bei den Eltern und ging weiter in der Schule, und auch der Parteiapparat hat es bei vielen Menschen ausgenutzt. Eigene Ansichten wurden verteufelt, und erst wenn man die geforderten Meinungen übernommen hatte, war man «geschätzt» und wurde «angenommen». Ich erinnere mich, wie ich schon als Kind mitunter ganz verzweifelt dachte, ich könne doch nicht so verkehrt liegen. Man wollte mir meine Gefühle ausreden – was mich verletzt und eingeschüchtert hat.

Moeller: Welche Gefühle waren das?

Maaz: Ich war ein ausgelassenes, unternehmungslustiges Kind, doch wenn ich herumtollte, wurde ich sofort gebremst: «Sei nicht so ausgelassen. Sei vorsichtiger. Das macht man nicht. Was sollen die Leute denken? Benimm dich doch!» In der Pubertät, als ich auch sexuelle Interessen zu erkennen gab, wurde ich ermahnt, erst die Schule und das Studium abzuschließen und einen Beruf zu erlernen. Erst dann könnte ich mich mit einer Frau einlassen. Ich hatte das Gefühl, als müßte man Sexualität sparsam einsetzen, dürfte sie nicht vergeuden und müßte sie für ganz besondere Umstände aufheben. Ich weiß noch genau, wie mich ein Lehrer zur Seite nahm und mir Vorwürfe machte, daß meine Leistungen in der Schule in der Mathematik nachließen – ob ich etwa eine Freundin hätte und mich dadurch «ablenken» ließe. Das klingt vielleicht banal, aber für mich war es manchmal wie eine Hölle: ein ewiger innerer Kampf von Bedürfnis, Lust und Schuld. Und wenn ich dann irgendwann einen trotzigen Wutanfall bekam, folgte unausweichlich eine massiv kränkende Ablehnung: «Du bist ja wie Onkel Kurt» – der galt in der Familie als Schürzenjäger! – oder: «Du bist kein richtiger Maaz» (Vater) oder: «Du bist nicht mehr mein Sonnenschein» (Mutter).

Moeller: Ich könnte mir vorstellen, daß relativ prüde und moralisch strengere Familien im Westen ähnliches zustande bringen. Aber es gibt sowohl einen quantitativen wie qualitativen Unterschied im Druck – und im Ausdruck. Bei uns wird heute allerdings Erotik mehrheitlich eher mitbegleitet und gefördert als unterdrückt. Überhaupt kommt es mir so vor, als ob sich im Westen eine Entwicklung vollzogen hätte in Richtung eines etwas freieren, mündigeren, emanzipierteren Verhaltens innerhalb der Familie und im Zusammenleben. Ich erinnere mich noch gut an die Zeiten vor der 68er Studentenbewegung, als Sexualität noch vollkommen anders betrachtet wurde. Ich habe einmal die Fotografien der Ärzte und Mitarbeiter in unserer Psychosomatischen Klinik in Gießen aus der Zeit von 1966 bis etwa 1975 verglichen. Jedes Foto zeigt dieselben Menschen. Mit jedem Jahr wirkten sie jedoch auf mich jünger, offener, flexibler und frischer. Dieses Jahrzehnt hat die Leute gleichsam jünger, nicht älter gemacht. Bei den ersten intensiveren Begegnungen mit Menschen aus der DDR hatte ich dagegen das entgegengesetzte Gefühl – sie wirkten immer viel älter als wir im Westen. Ich meine, darin fängt sich etwas von der unterdrückten Lebenshaltung ein. Es sind Menschen, die nicht so richtig zu sich kommen, nicht aus sich herauskommen können. Ihr Leben scheint reglementierter, eingefaßter, kanalisierter – genau so, wie Sie das beschreiben.

Das führt mich zu einem anderen wesentlichen Punkt: Wie steht es mit der Familie, dem Zusammenleben, dem Aufwachsen in Ost und West? Welche Unterschiede können wir feststellen?

Maaz: Ich fange mal mit mir an. Erst später – als Therapeut – habe ich meine Erfahrungen auch bei vielen anderen Menschen wiedergefunden. Als Kind fühlte ich mich mit meinen Gedanken, Wünschen und Gefühlen niemals wirklich verstanden. Zeigte ich etwas von dem, was mich wirklich beschäftigte, wurde ich entweder ausgefragt oder belehrt oder mit Vorwürfen überhäuft. Ich wurde nie danach gefragt, wie ich mich fühle und wie es mir wirklich geht. Interessant war nur, daß ich keine Probleme machte und gute Zensuren nach Hause brachte. Internalität – wirklich von sich sprechen – war in meiner Familie nicht üblich, niemand war wirklich fähig dazu. Mein Schmerz, mein Kummer, meine Sehnsucht, meine sexuellen Fragen und Nöte hatten keinen Adressaten. Ich begann ein Doppelleben zu führen – eins für mich und eins für die Eltern. Auf diese Weise hatte ich bald keine allzu großen Schwierigkeiten mehr, erst in der Schule und später in der Gesellschaft mit meinen zwei Gesichtern – das private und das öffentliche – zurechtzukommen. Der Verlust an Lebenskraft, der damit verbunden war, und die wachsende Selbstzensur sind mir erst viel später in meiner eigenen Therapie klargeworden. Diese Spaltung prägte auch unsere Familie: Vater lebte in Distanz und innerer Opposition zum System; heimatvertrieben und als Geschäftsmann seiner Möglichkeiten beraubt, war er im Innersten chronisch verbittert und schärfte mir ein, daß zwischen dem, was wir in der Familie reden und was man nach außen zeigen darf, ein deutlicher Unterschied gemacht werden müßte. Ich lebte in zwei Welten. In politischer Hinsicht gab ich zwar meist den Eltern recht, weil ich ihre Erfahrungen in der Wirklichkeit bestätigt fand; aber das Dauerthema «Systemkritik» war auch wunderbar dazu geeignet, die internalen Dinge und die wirklich wichtigen Themen zu vermeiden. Im Grunde genommen wurde ich so bestens auf das Leben in der DDR vorbereitet, obwohl die Eltern wahrlich keine Sympathisanten des Systems waren.

Moeller: Wenn ich an *meine* Kindheit denke und an die vieler Freunde, fällt mir auf, daß dies natürlich bei uns in vielen Familien auch so war. Ich bin Jahrgang 1937, mein Vater wurde 1941 eingezogen. Meine Kindheit verbrachte ich in der Kriegszeit auf einem einsamen, verlassenen Dorf in der Nähe des Geburtsortes meiner Mutter in Schlesien. Andererseits kann ich aber – auch an meinen eigenen Kindern – beobachten, daß sich die Zeiten im Westen enorm verändert haben. Es ist eine viel größere Toleranz in sexuellen Dingen aufgekommen, eine viel größere Sensibilität, was fühlen die Kinder, was wollen sie eigentlich. Gleichzeitig entwickeln Eltern jedoch zu ihren Kindern immer seltener genügend Nähe im Sinne eines entwicklungsfähigen Zusammenlebens. Diese Beziehungsschwäche zwischen Eltern und Kindern ist ein schlimmes Merkmal des westlichen Lebens und auch empirisch nachgewiesen; sie geht gleichzeitig einher mit einer Beziehungsschwäche zwischen Mann und Frau, also zwischen den Eltern. In einer Vergleichsstudie mit anderen westeuropäischen Ländern und Amerika * ist diese Beziehungsschwäche als typisch für die Deutschen – für die Westdeutschen – nachgewiesen worden. Wie es bei den Ostdeutschen aussieht, weiß ich nicht.

Maaz: Eine solche Entwicklung oder Liberalisierung in sexuellen Dingen konnte ich bei uns nicht beobachten. Es gab zwar eine ständig wachsende FKK-Kultur, aber die Lust als das zentrale Thema der Sexualität blieb ein durchgängiges Tabu. Doch worin zeigt sich die Beziehungsschwäche der Westdeutschen im einzelnen?

Moeller: Die Umfrage, von der ich sprach, wurde in mehreren westlichen Nationen durchgeführt. Sie ergab, daß die Beziehung zwischen den Eltern, zwischen Mann und Frau, in Deutschland durch eine besondere Funktionalität und Kühle gekennzeichnet ist, ebenso die Beziehung zwischen Eltern und Kindern. Sicher sollte man solche groben Befunde immer kritisch betrachten; was mich aber doch erschüttert hat, war, daß in allen anderen Ländern – einschließlich Amerikas, das uns hinsichtlich der kapitalistischen Beschleunigung noch voraus sein dürfte – diese Beziehungen intakter, herzlicher und wärmer erschienen. Es gibt viele Artikel und Zeitschriftenberichte darüber, daß man, wenn man nach Deutschland kommt, in eine seltsam ordentliche und kühle Welt gerät. Man hört es auch von Japanern, Engländern, Italienern – und von Ostdeutschen. Ihnen ist es doch auch aufgefallen. Vielleicht sind aber Deutsche Ost und Deutsche West nur Varianten auf ein und demselben kulturellen Territorium. Die Beziehungsschwäche der Eltern führt jedenfalls in Westdeutschland bei Heranwachsenden zu Veränderungen ihrer seelischen Struktur, ihrer Persönlichkeit. Das kann ich gut beobachten, da ich seit zwanzig Jahren hochintensive Seminare mit Paargruppen durchführe. In diesen Gruppensitzungen – fünf Paare bilden eine Selbsterfahrungsgruppe – kann ich sowohl die Kindheit der Eltern als auch die Kindheit der Kinder dieser Paare eingehend in ihrem Zusammenhang wahrnehmen.

* Elisabeth Noelle-Neumann / Renate Köcher: Die verletzte Nation, Stuttgart 1987.

Die Eltern leiden darunter, daß sie nie zu sich selbst kommen konnten. Nicht aus Verbotsgründen, also nicht – im Sinne der Variante Ost – aus Unterdrückung der kindlichen Grundbedürfnisse, sondern aus einem anderen, viel raffinierteren System heraus. Vor allem die Mütter stehen von zwei Seiten aus unter starkem Druck: Einerseits bewegen sie sich in einem enorm nach außen ziehenden Lebensfeld und sind dem Leistungsdruck im Arbeitsprozeß, aber auch im Freizeit- und Konsumbereich ausgesetzt. Andererseits stehen sie, selber emotional zu kurz gekommen, unter einem starken Bedürfnisdruck, neigen zu narzißtischen Störungen und dominieren deshalb – unbemerkt und gegen ihren eigenen Willen – die Bedürfnisse der Kinder. Eine Mutter kann gar nicht mehr einfühlsam darauf hören, was ihr Kind braucht, weil sie selber unter so starkem Bedürfnisdruck steht. Sie braucht das Kind sozusagen, um ihre eigene seelische Lücke zu füllen.

Nun könnte man die Rettung vom Vater erwarten, doch der ist im Familienleben des Westens nicht recht existent. Wir haben deshalb, zugespitzt formuliert, statt einer Familie eine «Mutter-Einzelkind-Union» mit einem «Trabantenvater».* Ein durchschnittliches deutsches Paar hat heutzutage 1,2 Kinder, während es 1815 noch fünf Kinder waren. Man kann Jahrzehnt für Jahrzehnt verfolgen, wie die Kinderzahl abnimmt – ich glaube, ähnlich war es auch in der DDR. Wir entwickeln uns also zu einer Einzelkindnation mit allen Folgen der Geschwisterlosigkeit. Der Vater ist, ganz im Sinne von Mitscherlichs vaterloser Gesellschaft**, nicht nur kaum zu Hause, sondern hat auch seine Funktion verloren; im Beruf macht er irgend etwas Abstraktes, das kein Kind mehr nachvollziehen kann. Hinzu kommt die technologische und gesellschaftliche Beschleunigung, die ich für die schlimmste und weitgehend unbemerkte Belastung im Westen ansehe. Erfindungen wie die des elektrischen Lichtes, des Autos, der Eisenbahn, des Rundfunkapparates, des Films, des Fernsehers oder

* Michael Lukas Moeller: Männermatriarchat. Nachwort zu Barbara Franck, Mütter und Söhne, Hamburg 1981.

** Alexander Mitscherlich: Auf dem Weg zur vaterlosen Gesellschaft, München 1963.

des Computers haben weitreichende Folgen für das Zusammenleben der Menschen und ziehen eine enorme «psychosoziale Beschleunigung» nach sich. Das Alltagsleben ändert sich in immer kürzerer Zeit immer stärker und in jeder Hinsicht. Die Computerwelt zieht schon Kinder vollkommen in ihren Bann. Sie wirken manchmal wie autistisch verloren. Computer bringen aber auch Ehen wieder in eine konfliktfreie Zone, weil der Mann nächtelang im Keller vor seinem Computer sitzt, anstatt mit seiner Frau zusammenzusein. Ich wollte aber auf das Phänomen hinaus, daß Kinder heutzutage nicht mehr genau fühlen können, was sie selber wollen, daß sie nicht zu dem kommen, was ihren eigenen Bedürfnissen entspricht – im Westen wie im Osten, allerdings aufgrund einer ganz anderen Familiendynamik. Im Westen werden die Kinder eher sich selbst überlassen, sie bleiben im Leeren stehen, auch wenn diese Leere Fernseher, Kino oder Zerstreuung heißt; im Osten dagegen scheinen sie wenigstens noch eine Beziehung zu haben – wenn auch in Form der Unterdrückung oder des Verbotes.

Maaz: Das ist richtig. Unterdrückung war die umfassendste Norm in unserem System. Was Sie aber über die Mutter-Kind-Beziehung gesagt haben, das gab es auch bei uns. Häufig waren Mütter eben nicht so sehr für ihre Kinder da, sondern die Kinder mußten für ihre Mütter dasein und deren Bedürfnisse stillen.

Moeller: Trotz der Krippen?

Maaz: Bei uns wurde nämlich meistens früh geheiratet, und es kamen zeitig Kinder, weil das vom Staat mit günstigen Krediten gefördert wurde. Die Berufstätigkeit der Mütter galt als höchste Form der Emanzipation. Die Kinder mußten zwangsläufig in die Krippen, weil die Mütter in der Regel noch in der Ausbildung oder eben berufstätig waren. Mit der frühen Heirat wollten sich die Paare dem elterlichen Einfluß entziehen; Frauen haben oft auch bestätigt, daß sie nur ein Kind haben wollten, damit endlich mal jemand für sie da sei – zynisch formuliert, eine Art «Plüschtier-Komplex». Sie wollten ihre Kinder praktisch wie ein Spielzeug für sich haben, mit dem großen Vorteil allerdings, daß sie ihre Kinder «dressieren» konnten, ihrer Mutter Aufmerksamkeit und Zuwendung zu schenken. Es war praktisch eine «verkehrte Welt», denn unsere jungen Mütter waren häufig selbst bedürftig und psychisch unreif. Ihre eigenen Eltern hatten ihre Bedürfnisse nach Zuwendung schon nicht gestillt, und auch der Partner tat dies nicht, weil der beste Partner nicht für die Defizite der Vergangenheit entschädigen kann. So diente das Kind der narzißtischen Zufuhr von «Liebe» für die Mutter. Ihr vor allem galt das Kuscheln, nicht dem Kind. Ich konnte miterleben, wie eine gestreßte Mutter nach einem anstrengenden Arbeitstag nach Hause kam und ihr Kind besorgt fragte: «Hast du mich denn noch lieb?» Ich weiß nicht, ob man mehr das System oder die Frauen verfluchen soll, die auf diese Weise ihre Kinder allein gelassen und seelisch kaputtgemacht haben. Aber wir Männer haben ja auch alles so geschehen lassen und sogar noch um die Hausarbeit gestritten, statt das Grundübel dieser Lebensart gemeinsam zu erkennen und zu bekämpfen. Erst in der Therapie haben viele dies später auch kritisch gesehen. Kurz und gut: In unserem System waren die frühen Familiengründungen häufig von der Hoffnung getragen, endlich die Wärme und Zuwendung zu finden...

Moeller: ...die ihnen fehlte.

Maaz: Ja, es handelt sich um einen Kompensationsversuch, um eine Flucht in die Idylle familiärer Emotionen. Aber die Kühlheit in den Beziehungen kann ich nicht bestätigen. Es gab viele Spannungen, viel Streit, viel Reibung; auch Proteste und Trotz prägten die Beziehungen. Das Gesellschaftssystem und der Staat boten sich hervorragend an als Buhmann, als Ablenkung nach außen. Die Protesthaltung war beinahe beziehungsstiftend. Das innere Aufbegehren, die Nörgelei gegenüber «denen da oben» waren wie ein Ventil für andere Affekte, sie drückten letztlich auch ein Nicht-loslassen-Können von den Eltern aus und die Illusion, doch noch Zuwendung zu bekommen.

Moeller: Auch im Westen gibt es noch viele Familien, in denen das so ist. Und doch glaube ich, daß ein deutlicher Unterschied auszumachen ist. Das Problem ist nicht, daß die Familien und Paare darunter leiden, daß sie sich nichts mehr zu sagen hätten. Das wäre ja noch eine Art Beziehung, wenigstens ein Verhältnis der Ablehnung. Aber selbst das ist nicht mehr vorhanden. Selbst die Reibung fehlt. Das Gefährliche scheint mir, daß die Beziehungen nur noch nebeneinander laufen, ohne wirkliche Berührung. Die Beziehung verdünnt sich, entleert sich und ist weg. Sie existiert nicht einmal mehr als Konflikt.

Mir fällt ein Mann ein, den ich außerordentlich schätze und der als Psychoanalytiker für das politische Bewußtsein Deutschlands sehr viel bewirkt hat – Alexander Mitscherlich. Er hat mit seiner Frau zusammen das Buch «Die Unfähigkeit zu trauern» geschrieben – ein Thema, auf das wir wahrscheinlich noch kommen werden. Sein Sohn hat einmal in einem Kleinkino in Frankfurt einen Film über seinen Vater gezeigt, auch als eine Art Abrechnung. Er sagte: Mein Vater verstand mich immer, aber er interessierte sich nicht für mich – ein Satz, der mich erschütterte und den ich in vielen Familien ähnlich hörte. Man kann natürlich sagen, daß das eine typische, psychoanalytische oder familienspezifische Angelegenheit der Mitscherlichs sei, doch meine ich, daß darin ein Stück allgemeiner Wahrheit ist.

Wir leben in einer Gesellschaft, die ununterbrochen psychologisiert. Es gibt kaum eine Illustrierte in Deutschland, die nicht versucht, das Seelenleben verständlich darzubringen. Die Menschen des Westens sind alle eine Art Minitherapeut geworden, während ihnen andererseits mehr und mehr das unmittelbare, konkrete, lebendige Zusammensein fehlt. Viele meinen zwar, das Fernsehen vereine die Familien, doch das hat Alexander Mitscherlich bereits mit der treffenden Formulierung ad absurdum geführt – das Fernsehen lenke zu Hause von zu Hause ab. Die Massenmedien spielen – vielleicht anders als bei euch früher – eine enorme Rolle, weil sie gehört werden und nicht so verlogen sind wie einst im Osten. Dadurch entsteht eine doppelte Beziehungslosigkeit: Zum einen kann ich mich mit dem Fernseher nicht unterhalten, weil er nicht dialogfähig ist; ich werde also passiv, ob ich will oder nicht. Ein neuer Trend versucht zwar, eine Wechselbeziehung dadurch zu erreichen, daß man in den Rundfunk hineinrufen kann. Aber so erfreulich ich diesen Dialogversuch finde, in der Regel inszenieren und transportieren die Massenmedien eine Beziehungslosigkeit zwischen den Rezipienten und dem Medium, beispielsweise dem Fernsehapparat. Dabei ist der Fernsehapparat für viele, besonders für ältere Menschen, der einzige Kontakt zur Welt geblieben, das «Fenster zur Welt». Darüber hinaus schaffen die Massenmedien noch eine zweite Beziehungslosigkeit – nämlich zwischen den Menschen, die vor dem Fernseher sitzen. Ich glaube, hier gibt es einen Unterschied zwischen dem Aufwachsen in der ehemaligen BRD und in der ehemaligen DDR. Diese Medienerfahrung reicht inzwischen über zwei Generationen und mußte sich in auch anderen seelischen Strukturbildungen niederschlagen. Für Kinder, aber auch schon für die Generation der Erwachsenen ist das Fernsehen die elektronische Mutterbrust. In Belgien gibt es inzwischen schon ein Fernsehprogramm für Zwei- bis Dreijährige – und diese Entwicklung wird immer weiter gehen, davon bin ich leider überzeugt. Bei uns ist also die Verdünnung und die Entleerung der Beziehungen bedeutsam. Um nur einen Befund zu bringen – denn viele glauben das ja einfach nicht –, ein durchschnittlicher amerikanischer Vater ist mit seinem einjährigen Kind pro Tag noch 37,2 Sekunden zusammen, das sind 1,2 Wechselbeziehungen. Ich nehme an, in Westdeutschland wird es nicht viel anders sein. In den USA hat man auch untersucht, wieviel Zeit sich ein Mann und eine Frau, die zusammenleben, täglich für ein wechselseitiges Gespräch nehmen – im Schnitt nur noch vier Minuten. Das meine ich mit «Verdünnung der Beziehungen».

Maaz: Ich empfinde das als tragisch. Und ich glaube, daß es bei uns – noch – anders ist. Jetzt versuchen wir, mit aller Macht so zu werden wie die Westdeutschen, denn das haben wir uns immer sehnlichst gewünscht. Es gab in der DDR einen einzigen Bezirk, nämlich Dresden, in dem man kein Westfernsehen empfangen konnte. Die Menschen dort wurden von der ganzen DDR bedauert. Man nannte Dresden das «Tal der Ahnungslosen», weil die Menschen dort nicht in den Genuß kamen, Westfernsehen zu empfangen. Gleichzeitig gab es im Bezirk Dresden die meisten Ausreiseanträge. Natürlich hatte das Fernsehen eine ganz andere Bedeutung für uns als im Westen, weil es schon wichtig war, andere Informationsquellen zu haben als nur die einseitige, tendenziös-verlogene Berichterstattung der DDR-Medien. Aber diese Tendenz reichte weiter. Praktisch wurde *alles*, was aus dem Westen kam, begehrt, überhöht und unkritisch überschätzt. Dies geschah mitunter auf so peinliche und kleinkarierte Weise, daß zum Beispiel leere Bierdosen zur Dekoration verwendet wurden oder Plastiktüten mit Reklameaufschriften einen echten Tauschwert bekamen. Die westliche Technik, die Autos, die Elektronik besaßen höchsten Stellenwert – und dabei ging es nicht nur um die technische Qualität, sondern allein die Tatsache, daß ein Artikel aus dem Westen kam, gab ihm eine besondere «Weihe». Westliche Waren entschädigten für unbefriedigende Beziehungen, das Streben danach beschäftigte ganze Familien und verdeckte oder kompensierte die Beziehungsstörungen.

Die «Wende» hat diesen Trend erst richtig zur Entfaltung gebracht und noch deutlicher werden lassen, wie wir Opfer einer Illusion sind: Ein Westauto zu haben erscheint uns wichtiger als unsere Umwelt und die Sorge um unsere Zukunft, ganz zu schweigen von unseren Beziehungen. Mit den stolzen Karossen wird der Frust angesichts der zunehmenden Verkehrsstaus und der fehlenden Parkmöglichkeiten aber noch verstärkt. Und kaum einer will das Irrwitzige daran wahrhaben – Hauptsache: West, West, West...! Dies zieht sich durch alle Bereiche, und viele bei uns glauben, die westliche Lebensart sei schon deshalb besser, weil man mehr kaufen kann, weil die Auswahl größer ist, weil die Waren schicker aufgemacht und häufig auch qualitativ besser sind. Der äußere Glanz des Westens schürt die Hoffnung: wenn wir das auch haben, dann wird es uns endlich gutgehen. Die nicht mehr gelingenden zwischenmenschlichen Beziehungen sollen ersetzt werden durch westliches Knowhow und den Besitz eleganter Waren. Mit zeitlichem Rückstand versuchen wir, das westliche Leben nachzuahmen, ohne zur Kenntnis zu nehmen, daß sich darin auch eine Fehlentwicklung ausdrückt. Das finde ich einfach tragisch!

Moeller: Eine westliche Verheißung – aber man merkt nicht, welchen falschen Göttern man hinterherläuft.

Maaz: Diese falschen Götter haben uns auch geholfen, die Schuld für alle Miseren unserem weniger erfolgreichen System anzulasten. Wir erklären unsere eigene Unzufriedenheit allein mit den äußeren Verhältnissen und schielen zugleich sehnsüchtig und verklärend auf den Westen in der Hoffnung, daß, wenn wir das alles hätten, was da über die Mauer glitzert, auch unser dumpf empfundenes inneres Elend kuriert wird. Verschärft wurde diese Sichtweise auch durch die bunten Geschenkpakete unserer Freunde und Bekannten, über die wir uns natürlich sehr gefreut haben – aber welche Motive gab es dafür im Westen? Darüber haben bislang nur wenige nachgedacht. Wer solche Zuwendungen bekam, konnte sich jedenfalls immer auf etwas freuen. Er hatte kleine Sternstunden im Alltag, empfand im bitteren Mangeldasein eine kleinbürgerliche Lust, denn um wirklichen Hunger ging es bei uns ja nie. Der Mangel an innerer Annahme und Bestätigung konnte ständig nach außen projiziert werden, und der Besitz von Westgeld war für viele die wirksamste Droge. Aus dieser Perspektive erscheint auch der ganze Vereinigungsprozeß in einem anderen Licht: aus der Fluchtwelle wurde die Übersiedlung der ganzen DDR in das westliche Konsumparadies – aber eine solche Interpretation stört natürlich die hehren und großen Einheitsgedanken.

Moeller: Mir fällt ein Satz von Martin Buber ein: «Das leere Ich ist mit Welt vollgestopft.» Das kennzeichnet meiner Meinung nach sehr treffend die westliche Lebensweise. Sie ist ja oftmals faszinierend. Es wird einem in den Medien ja wirklich etwas geboten. Wenn ich mir im Kino einen Film ansehe, der mich brennend interessiert, bin ich begeistert. Ich bin wirklich begeistert, aber ich bin durch den Film auch von mir selber weggekommen. Es war ein merkwürdiges Empfinden, als mir eines Tages aufging, daß ich mich in einem allgemeinen Zustand befinde, in dem ich zu wenig zu meinem eigenen Leben komme. Das konkrete, unmittelbare Zusammensein mit anderen Menschen rann mir vor lauter interessanten Beschäftigungen wie Sand durch die Finger. Dabei fühle ich mich in einer ausgesprochen privilegierten und glücklichen Situation. Ich übe einen Beruf aus, den ich sehr gern habe; ich habe eine Familien- und Lebenssituation, über die ich in keiner Weise klagen kann – bis eben auf diese eine Klage, daß mir alles viel zu schnell geht. Es geht einfach zu schnell. Ich kann nicht sagen, daß das nur mein persönlicher Lebensstil wäre, es geht meinen Freunden genauso. Wie kann ich in meinem Leben beispielsweise Freundschaften noch so wahrnehmen, daß sie lebendig bleiben? Menschen, mit denen ich in einer Freundschaft verbunden bin, kann ich doch nicht nur alle zwei Monate mal sehen. Das ist zu wenig. Und doch bleibt einfach nicht mehr Zeit für Freundschaften. Mir scheint sogar – und jetzt komme ich auf einen schrecklichen Gedanken –, daß die attraktiven Angebote draußen wirklich interessanter sind als die eigene liegengelassene und verkommene Seele. Man wird einfach zu einem Menschen, der äußerlich lebt und mit diesem äußerlichen Leben am Ende auch noch glücklich ist. Zum Glück werde ich dabei nicht allzu glücklich. Ich leide noch darunter. Aber es gibt Momente, in denen ich sage, ich knalle mich jetzt vor die Glotze – so sagen wir das im Westen –, um mich zu entspannen. Ich durchlebe beispielsweise einen leidenschaftlichen Liebesfilm, in dem es um Zärtlichkeit, um wildes Begehren, um reißende Eifersucht, um Konflikte, um Sehnsüchte, um Haß, kurz um *alles* geht. Ich erlebe also eine Fülle von Gefühlen, tauche danach wieder auf und sage mir: Mein Gott, was habe ich nur alles erlebt. Tatsächlich bin ich es aber doch gar nicht gewesen. Als ich die ganze Struktur des unterhaltenden Fernsehens als Leben aus zweiter Hand, als Lebensersatz aus der Tube, erkannte, habe ich den Fernseher abgeschafft.* Jetzt habe ich keinen Fernseher mehr zu Hause und gewinne an eigenem Leben, denn jeder Bundesdeutsche sieht pro Tag im Schnitt zwei Stunden fern.

Maaz: Ein perfektes Ersatzleben! Bei uns ist statt dessen die Ideologie eingesprungen. Die vielen unechten Beziehungen wurden von Phrasen und verlogenen Bekenntnissen getragen. Was an Echtheit fehlte, versuchte die Partei durch Propaganda für das «richtige Bewußtsein», durch ständige Kampagnen und Wettbewerbe auszu-

* Vgl. Michael Lukas Moeller in: M. L. Moeller/A. Schardt/W.-R. Schmidt, Lebenshilfe im Fernsehen, München 1983: Immer mehr Lebenshilfe – immer weniger Leben.

füllen. Das gesellschaftliche Leben wurde künstlich auf Trab gehalten. Die emotionale Nähe zwischen Menschen, die häufig nicht mehr gelang, die eingeschüchterte Authentizität und Offenheit wurden von der Partei durch Pseudogefühle ersetzt, durch Lippenbekenntnisse wie Friedenskampf, Solidarität mit den unterdrückten Völkern oder den Befreiungsbewegungen. Eine riesige Maschinerie propagierte die Wachsamkeit gegenüber dem Klassenfeind, den Sieg des Sozialismus, die ständige Steigerung der Produktivität usw. Ständig wurden die Millionen von Mitläufern zu Unterschriftsaktionen, Demonstrationen, Kundgebungen und sogenannten Wettbewerben getrieben. Sobald die «Verpflichtungen» zu irgendeinem Ehrentag formal erfüllt waren – die wirklichen Ergebnisse interessierten sowieso keinen –, wurde eine neue Kampagne zur «Stärkung des Sozialismus» eröffnet. Die Menschen waren auf diese Weise ständig beschäftigt, und es blieb ihnen keine Zeit, die Verletzungen der Seele wahrzunehmen. Selbst das bißchen Freizeit sollte bis in den Breitensport oder die Schrebergartenkultur perfekt durchorganisiert werden. Die verbleibende Zeit für eine mögliche Besinnung wurde durch ewiges Schlangestehen ausgefüllt, dadurch, daß man sich über das System ärgerte oder auf den Westen schielte. Auch das Fernsehen wurde immer mehr zur Ablenkung benutzt – mit der schönen und wichtigen Entschuldigung, wenigstens dieses eine Fenster in den Westen haben zu können.

Was Sie über den Westen sagen, kann ich also auch für unser System bestätigen, nur daß die Ablenkungen bei Ihnen wesentlich geschickter, interessanter, abwechslungsreicher und letztlich erfolgreicher sind, als es alle unsere Sportfeste mit dem bekannten Goldregen je sein konnten. Bei meinen ersten Westreisen, auch nach Westeuropa, hatte ich dann öfters das Gefühl, jetzt bin ich zwar hier, sehe endlich langersehnte Landschaften und Kulturstätten, doch blieb alles seltsam fern wie in einem Film. Selten habe ich eine solche Spaltung zwischen meinem Körper, der physisch dort war, und meiner Seele empfunden, die das alles nicht fassen konnte. Ich stand auf dem Eiffelturm und konnte diesen langersehnten Zustand nicht empfinden. Ich verschlang alles zu schnell, zuviel, und begann zu ahnen, daß ich hinter der Mauer manchen Dingen eine überhöhte Bedeutung zugemessen hatte. Es war gar nicht wirklich um den Eiffelturm gegangen, sondern um eine innerseelische Sehnsucht. Schließlich sah ich auch, wie das für uns so wichtige Reisen durch eine riesige Tourismusindustrie vermarktet wurde – ein großes Geschäft, damit die Menschen von sich «wegfliegen» können! Ich bin zwar noch längst nicht satt, in die Welt hinaus zu gehen, und doch spüre ich auch deutlich die Erleichterung, wenn ich wieder zu Hause bin und damit wieder mehr bei mir selbst sein kann.

Moeller: Man könnte also sagen: Was der Parteiapparat und die Regierung in der DDR durch eine Kampagne nach der anderen zustande gebracht hat, nämlich die ununterbrochene Selbstablenkung, wird im Westen durch die Freizeitindustrie und die Massenmedien geleistet.

Maaz: Ein interessanter Vergleich – ich glaube, genauso ist es. Er erklärt auch das eigentlich Unerklärliche, wieso 98 Prozent der Bevölkerung – die wenigen Fälschungsprozente können wir ruhig vernachlässigen – zur Wahl gegangen sind und warum alle irgendwie mitgemacht haben. Warum haben sie das System – als «Junge Pioniere», bei der FDJ, zur Jugendweihe, als SED-Mitglieder oder als Stasi-Mitarbeiter – millionenfach aktiv mitgetragen, zumindest passiv geduldet? Warum haben sie sich, vielleicht zähneknirschend, aber eben doch ohne Aufbegehren eingerichtet? Ich glaube, das erklärt sich nicht alleine aus der Angst vor Strafe und Diffamierung, die ich damit in keiner Weise bagatellisieren will. Doch war mit einem bißchen Zivilcourage – dieses Wort hatten wir praktisch aus unserem Sprachgebrauch gestrichen, bis es Rolf Henrich in seinem Buch * wieder einführte –, doch war mit etwas Mut weit mehr möglich, als wir tatsächlich versucht und gelebt haben. Diese Chancen wurden von der überwiegenden Mehrheit nicht genutzt, weil das Anpassungsverhalten mit all seinen Kompensationsmechanismen sehr gut von der inneren Not und Spannung in den Seelen und von der fehlenden Offenheit in den Beziehungen ablenken konnte. Je-

* Rolf Henrich: Der vormundschaftliche Staat, Reinbek 1988.

mand hat den Satz geprägt: «Wer sich nicht bewegt, der spürt seine Fesseln nicht!» Jeder Akt der Zivilcourage, jeder kleinste Schritt der Emanzipation hätte unweigerlich die inneren Einengungen schmerzlich spüren lassen. Gleichzeitig bekamen die derart eingeengten und bedürftigen Menschen vom «Apparat» zu hören: «Wir brauchen dich, du bist wichtig, wir fördern dich.» Erst wurde also ein Defizit erzeugt und dann ein Pseudoangebot gemacht.

Moeller: Der Gewinner bei diesem Vorgang war die Partei, welche die Psychodynamik für ihre Zwecke ausnutzte. Im Westen gewinnt dagegen die Freizeitindustrie, die sehr viel Geld macht.

Übrigens fällt mir jetzt auf, daß sich für mich Ihr Gesicht ändert. Es wird plastischer, klarer, so, als ob ich es besser begreifen könnte. Ich spüre eine größere Nähe zu Ihnen. Es muß also doch etwas in dem Zwiegespräch zwischen uns geschehen sein. Vielleicht ist mein anderes Empfinden ein Symptom unserer unbewußten oder noch nicht bewußten Beziehung.

Maaz: Ich befinde mich mitten in einem inneren Prozeß. Ich bin angeregt, es passiert etwas mit mir. Vorher war ich noch unsicher, ob unser Gespräch überhaupt gelingen wird. Jetzt aber denke ich nicht mehr so sehr an die Aufgabe, die wir uns vorgenommen haben, sondern es ist ganz einfach interessant, was ich von Ihnen höre und was dadurch in mir angeregt wird. Ich spüre auch, daß Sie sich von mir anrühren lassen – das gefällt mir.

Moeller: Mir geht es genauso. Allerdings habe ich jetzt auch eine Angst bekommen, die ich vorher nicht hatte. Ich fühle mich innerlich ganz lebendig und habe vergessen, wozu unser Gespräch eigentlich dient. Ich habe im Moment so viel im Sinn, daß ich das Zwiegespräch aus allen Nähten platzen sehe.

Maaz: Wir kommen in Kontakt und verlieren dabei die Ordnung.

Moeller: Mir fehlt nicht so sehr die Ordnung. Mir wird plötzlich klar, warum ich am Anfang Ihr Gesicht als zu dicht erlebt habe. Einerseits empfand ich Trauer, andererseits eine enorme Nähe, die mir fast ein bißchen zuviel war. Diese Nähe ergibt sich meines Erachtens aus dem, was in einer solchen Begegnung mobilisiert werden könnte. Es ist so unendlich viel, daß das Gefühl, es wird mir zu dicht, einfach bedeutet: Es ist ungeheuer viel an menschlicher Vereinigung zu tun. Es kommt sehr viel in mir in Gang. Es steht eine große seelische Arbeit an, die ich im Unterbewußtsein schon vorher gespürt habe. So verstehe ich dieses «zu dicht, zuviel».

Auch die Trauer verstehe ich jetzt auf eine neue Weise. Wir kommen auf eine Erfahrung, die uns beiden gemeinsam ist, wenngleich sie sich in einem ganz anderen Gewande zeigt – daß wir nämlich zu wenig zu uns selbst gekommen sind. Wir auf unsere westliche Weise, ihr auf eure östliche Art. Und das ist die wirkliche Ursache für diese tiefe Trauer, denn die größte Enttäuschung ist die, daß man nicht so leben kann, wie man es im Innern eigentlich will. Im Westen wird das besser kaschiert, durch die attraktive Umgebung, durch diesen Glanz und diese Perfektion, was mir erst durch Ihre Worte richtig bewußt geworden ist. Für mich ist das ja so sehr Alltag, daß ich es gar nicht mehr bemerke. Aber wenn ich hier bin und durch die Lande fahre, geht mir das mit einem Schlag auch auf. Ich frage mich allerdings: Könnte es nicht sein, daß es im Osten unterhalb der Unterdrückung einen größeren Beziehungsreichtum gegeben hat als im Westen? Ich habe ja die Lage im Westen versucht darzustellen. Und ich denke, wir unterhalten uns hier über ein sehr wesentliches Gebiet: daß nämlich im Osten und Westen zwei ganze Generationen nachgewachsen sind und damit auch die seelische Struktur der Menschen unterschiedlich geformt wurde. Seelisch sind wir alle das, was wir an wesentlichen Beziehungen in unserer prägenden Kindheit, also in den ersten sechs Lebensjahren erlebt und verinnerlicht haben. Meine Seele ist nicht mehr und nicht weniger als die wesentlichen Beziehungen, die ich verinnerlicht habe – das ist meine platte Hausformel. Die Frage stellt sich also: Wie unterschied sich die Beziehungsqualität in dieser «psychogenetischen Zeit», das heißt innerhalb der ersten drei bis sechs Lebensjahre im Osten und im Westen? Ein wichtiges Moment haben Sie bereits genannt – diese Tendenz zur Unterdrückung, die vom Staat an die Eltern und von den Eltern an die Kinder weitergegeben wurde. Hinzu kommt aber wohl noch, was in den Begriff der «Frühseparation» gefaßt wird, das heißt, daß Mütter ihre Kinder möglichst früh in die Krippe gaben.

Maaz: Das spielte bei uns in der Tat eine große Rolle. Der größere Teil der Kinder, etwa 70 bis 90 Prozent, verbrachte den Tag in den Kinderkrippen und Kindergärten. Dadurch waren nicht nur die Kontakte zwischen Eltern und Kindern sehr gering, sondern es kam zu regelrechten Trennungstragödien.

Moeller: In welchem Lebensjahr begann denn diese «Frühseparation»?

Maaz: Im Grunde bereits mit der Geburt, denn in den Krankenhäusern war die abrupte Trennung des Kindes von der Mutter die Regel. Nicht sie bestimmten über ihr Zusammensein, sondern das Personal und der Klinikrhythmus. «Rooming-in» gab es nur ganz selten, ebenso «Vaterentbindungen». In der Geburtshilfe dominierten die Technik und das klinische Regime über Menschlichkeit, Beziehung und Gefühl. Die Tragödie dieser Massenerscheinung wird bis heute kaum wahrgenommen, in der DDR galt sie als Tabu. Dies ist ein typisches Beispiel, wie sich die Medizin mit «wissenschaftlichen» Argumenten in den Dienst einer Herrschaftsideologie stellte, denn das schwere Trennungstrauma war eine wichtige Grundlage für die Schaffung von gefügigen Untertanen, weil die Menschen schon seit der Geburt tief verletzt und verunsichert waren.

Moeller: Wir nennen das die «technologische Geburt».

Maaz: In unserer Therapie sind wir immer wieder auf ein gravierendes Urtrauma des Verlassenseins gestoßen, das eine Folge einer Kette bedrohlicher Erfahrungen war: Geburt – Kinderkrippe – emotionale Distanz und mangelndes Einfühlungsvermögen der Eltern – autoritäre Erziehung und Gefühlsverbot. Statistisch sind immerhin von 1000 Kindern 799 in die Tageskrippe geschleppt worden.

Moeller: Wirklich, mehr als zwei Drittel?

Maaz: Ja, mehr als zwei Drittel. In unseren Krankengeschichten kommt immer wieder vor, wie tragisch das war. Viele Kinder wollten nicht in die Krippe, nicht nur, weil sie nicht von der Mutter getrennt werden wollten, sondern weil zumeist ein autoritäres Erziehungsregime herrschte. Die Vorschrift, daß eine Krippenerzieherin für sechs oder sieben Kinder dasein sollte, wurde fast nie eingehalten. Meistens hatte eine Krippentante 15 Kinder, manchmal auch noch mehr zu «betreuen». Schon deshalb mußte «durchgegriffen» werden. Aber es entsprach auch den herrschenden Erziehungsidealen. Wenn ein Kind mal weinen wollte, wurde es ermahnt, es solle sich beherrschen. Körperlich gespendeter Trost war verpönt aufgrund der eigenartigen Vorstellung, man dürfe kein Kind verwöhnen oder vorziehen, denn dann könnten die anderen auch direkte Zuwendung erwarten. Ich habe solche Geschichten so oft gehört, daß ich immer wieder empört über soviel Borniertheit war, die sich auch noch mit «pädagogischen» Argumenten ummäntelte. Überhaupt empfand ich oft einen ohnmächtigen Zorn über den spießigen Mief und den beschämenden Untertanengeist in unserem Land. Die filmischen Dokumente des bestellten Jubels, des albernen Defilierens und der blöden Phrasen, die selbst unsere Intellektuellen mitunter von sich gaben – kein Leiter durfte in irgendeiner Ansprache vergessen, das «Lob des Sozialismus» und den «Dank an die Partei- und Staatsführung» anzustimmen –, diese Bilder können gar nicht oft genug im Fernsehen vorgeführt werden, um diese Zustände nicht zu vergessen. Ich hoffe inbrünstig, daß sich die Leute auch darin wiedererkennen. Kurz: Das Defizit an individueller Zuwendung bei uns war erheblich und setzte bereits von früh auf ein. Die einzige verbleibende Chance war, sich ein- oder unterzuordnen in die Herde bedürftiger Schafe, die sich willfährig dirigieren ließ.

Moeller: Ich möchte einen Versuch machen, daran etwas positiv zu sehen: Diese Kinder sind doch immer innerhalb einer Kindergruppe aufgewachsen. Waren sie dort ganztägig?

Maaz: In der Regel handelte es sich um Tageskrippen, manchmal auch um Wochenkrippen, bei denen die Kinder nur am Wochenende von den Eltern oder einem Elternteil nach Hause geholt wurden.

Moeller: Sind die Gruppen denn immer stabil geblieben?

Maaz: Ja, meistens.

Moeller: Es waren also keine offenen Gruppen, sondern geschlossene Gruppen.

Maaz: Ja. Aber natürlich gab es immer auch Zu- und Abgänge, zum Beispiel wenn eine Familie umzog.

Moeller: Ist es nicht unter diesen Umständen möglich, daß Kinder – ähnlich wie in der Kibbuz-Erziehung – ein sehr dichtes, stabiles und festes Bindungsgeflecht untereinander entwickeln? Durch meine Beschäftigung mit Selbsthilfegruppen* sind mir Experimente bekannt geworden, bei denen man Säuglinge zusammengebracht hat. Dabei stellte man fest, daß sich Kinder untereinander viel mehr anregen, als Erwachsene dies mit Kindern tun können. Diese Kinderkultur ist ein großes und meist vernachlässigtes Essential der Lebensentwicklung, die bei der familiären Kindererziehung im Westen verlorengegangen ist. Im Osten ist die Geburtenrate ja auch sehr niedrig. Doch könnte die Kinderkultur in den Kinderkrippen unter Umständen eine Wiedergeburt erlebt haben.

Maaz: Was Kindergärten betrifft, also etwa ab dem dritten Lebensjahr, würde ich das durchaus gelten lassen – gegenseitige Anregungen, Spiele und Auseinandersetzungen als wichtige soziale Erfahrungen. Aber das Problem war ja der autoritäre Stil, die Erziehung nach Vorschriften, die Ideologie einer planmäßigen Förderung und Entwicklung, die meist das Spontane und Emotionale verhinderte und das Kreative durch permanente Bewertung der Leistung verdarb. Der Gefühlsausdruck sollte stets erzieherisch beeinflußt werden. Auf Aggressivität reagierte man mit Strafe, Beschämung und Ausgrenzung («Wenn du böse bist, mußt du rausgehen!»); auf Weinen folgte schneller Trost oder Bagatellisierung, statt die Gefühle zu beachten und ihre Signalfunktion zu verstehen. Konflikte wurden von den Erwachsenen «geregelt», wobei disziplinierende Ermahnungen am häufigsten waren. Daß sich im Streit wichtige Hinweise auf seelische Befindlichkeiten zeigen könnten, die geklärt und ausgetragen werden müssen, wurde meistens nicht verstanden. Auf diese Weise wurden unehrliche Beziehungen, ver-

* Michael Lukas Moeller: Selbsthilfegruppen, Reinbek 1978.

logene Versöhnungen und Hierarchien nach quasimilitärischem Reglement gefördert. Das angepaßte Kind war gleichzeitig das «liebe Kind». So entstanden Pseudobeziehungen, so wurden Untertanen gezüchtet. Kurz: Nach meiner Erfahrung waren die Verhältnisse in den Kinderkrippen keineswegs lebendigen menschlichen Beziehungen förderlich – mit Spaß, Offenheit und auch streitbarer Auseinandersetzung.

Moeller: Dann liege ich also falsch mit meiner Vermutung. Aber vielleicht können wir noch herausfiltern, was den Unterschied in der prägenden Zeit der seelischen Entwicklung des Kindes ausmacht. Herrschten in Ost und West unterschiedliche Bedingungen während der entscheidenden seelischen Entwicklungszeit in den ersten sechs Lebensjahren?

Maaz: Ich wage zu behaupten, daß für uns vor allem Einengung prägend für die seelische Entwicklung war. Die Berliner Mauer war nur der äußere Ausdruck dafür, was durch Einschüchterung, Demütigung und Kränkung im Erziehungsalltag bei den meisten Heranwachsenden innerlich angerichtet wurde. Kinder mußten stets die Erfahrung machen, daß das, was sie dachten und fühlten, nicht in Ordnung sei; sie hatten sich nach den Vorstellungen der Erwachsenen, der Eltern, der Erzieher und Lehrer, zu richten. Dabei kam es selten zu massiver und direkter Gewalt, eher zu Ermahnungen, Belehrungen und sanften Hinweisen, was ein «braves Kind» sei. Also: «Sag schön guten Tag – Benimm dich – Bedanke dich schön – Du hast aber fein aufs Töpfchen gemacht – Du mußt aufessen, damit du groß und stark wirst.» Und vor allem: «Du darfst nicht laut sein – Du darfst nicht so herumtollen – Was sollen denn die Leute denken? – Gib acht auf dich.» Diese Form der Einengung hat Ängstlichkeit, Unsicherheit und Zurückhaltung gefördert – letztlich eine Gehemmtheit, die typisch für uns ist. Später, im Erwachsenenalter, wurde sie durch ganz reale Strafen und Gefahren bestätigt, wenn man sich nicht an die engen Vorgaben der Partei hielt. Die ständige Gängelei war ein Grundmuster unserer Verhältnisse.

Moeller: Ich muß dabei an unser gestriges Symposium «Politische Psychotherapie» denken, als eine Teilnehmerin aus der Selbsthilfegruppe Dresden aufstand und sagte, sie hätte schon vor Beginn der Tagung einen Unwillen in sich gespürt, weil sie sich vorstellte: «Da kommen die Westler und wollen was von dir.» Ich fand das sehr spezifisch ostdeutsch. Ein solches Gefühl – gefragt zu werden bedeutet gleich, «nun wollen die schon wieder etwas» – würde im Westen in so einer Gruppe überhaupt nicht aufkommen.

Maaz: Wir sind der Belehrungen und Ermahnungen einfach müde. Wir sind satt davon. Immer gab es jemand, der etwas von uns wollte und nach dessen Pfeife wir tanzen sollten. Die Partei hatte das auf die Spitze getrieben, indem sie sagte: «Nur wenn du erfüllst, was wir für richtig halten, wirst du akzeptiert und gehörst zu uns.» Nur wer das «richtige Bewußtsein» hatte, galt als angenommen. Das war doppelt kränkend, weil wir zum einen in Gefahr gerieten, ausgegrenzt und beschämt zu werden, und weil zum anderen im Grunde unerträglich alberne, kleinkarierte und verlogene Dinge von uns verlangt wurden. Daß wir uns dennoch beugen mußten, hat bei manchen Protest ausgelöst, bei anderen Apathie.

Moeller: Das ist also der seelische Widerhall der Reglementierung.

Maaz: Ja. Und jetzt müssen wir wieder gehorchen, haben zu übernehmen, was die westliche Bürokratie und die Gesetze der Marktwirtschaft uns abverlangen. Wieder können wir nicht selbst bestimmen, wieder mußten wir die Gestaltung unseres neuen Lebens an eine fremde Obrigkeit abtreten. Bestenfalls können wir aus einer Vielzahl von Angeboten wählen, was uns jedoch belastet, weil man gar nicht so schnell herausfinden kann, was besser oder schlechter ist. Wieder kommen wir uns bereits übervorteilt und hilflos vor.

Was wir im Oktober und November 1989 erlebt haben, war wirklich befreiend. Wir machten zum erstenmal die Erfahrung, daß wir Einfluß haben. Der persönliche Wille erschien auf einmal als Stimme des Volkes, er wurde gehört und zeigte Wirkung. Wir bestimmten unser Leben tatsächlich eine kurze Zeit mit. Das war ein Aufleben überall, eine Lust an der Gestaltung, eine Zeit voller

Ideen und Initiativen – aufregend, anstrengend und schön. Es war unwahrscheinlich, was in uns gebeugten und vorsichtig gewordenen Menschen an Kraft und Mut steckte. Dies alles ist längst vorbei. Statt der Politbürokratie regiert das westliche Management, wir werden «abgewickelt» und unterwerfen uns neuen Mächtigen. Wir sind zum politischen Alltag zurückgekehrt, könnte man lapidar sagen. Doch tatsächlich geht es um etwas anderes: Wir hatten Kontakt zu unserer Lebendigkeit gefunden – und die ist wieder verlorengegangen.

Jetzt sind wir erneut in der Verteidigungsposition, was mich ärgerlich und traurig macht. Die neuen Politiker behandeln uns genauso wie früher unsere Eltern, wenn sie sagen: «Das tun wir nur für euch, denn euch soll es mal besser gehen.» Selbst wenn diese Versprechungen eingelöst werden sollten, sind wir dadurch in keiner Weise politisch oder gar seelisch reifer geworden. Wir haben die innere Freiheit nicht wirklich gewonnen, sondern uns wurde nur ein Bild davon verordnet. Natürlich sind wir in den Genuß einer Menge verlockender Freiheiten gekommen, und mir ist die demokratische Freiheit sehr wertvoll. Aber eine seelische Befreiung kann ich weder empfinden noch erkennen. Ich finde die Kultur des Meinungsstreites, die Vielfalt der Ansichten hervorragend. Doch ich gewinne zunehmend den Eindruck, daß man in der parlamentarischen Demokratie den politischen Gegner vor allem deshalb braucht, um im jeweils anderen die eigenen abgewehrten und abgespaltenen Teile denunzieren und bekämpfen zu können. Vielleicht ist das ein Vorurteil, und ich will euer System bloß madig machen, weil ich tief verletzt darüber bin, wie wir jetzt behandelt werden. Das Schlimme daran ist, daß die altbekannte innere Verletzung, die ich als DDR-Bürger ständig empfand, nunmehr aufs neue bedient wird.

Moeller: Für mich ist es eine verblüffende Erkenntnis, daß die Vereinigung auch im Osten als Kränkung erlebt wird, denn man hat ja diese Welt des Westens, die D-Mark selbst gewählt. Und jeder sieht ja, daß hier etwas aufgebaut werden muß. Die Kränkung wird dadurch ausgelöst, daß es in einer Form geschieht, in der die eigene

Beteiligung – also die Partizipation des Ostens – gar nicht möglich wird.

Maaz: Wir befinden uns im Grunde genommen in einem schweren Ambivalenzkonflikt: Auf der einen Seite herrscht eine tiefe Genugtuung, daß endlich das alte Unrechtssystem zusammengebrochen ist und der tiefe Wunsch nach Vereinigung verwirklicht werden konnte. Es geht dabei gar nicht so sehr um die politische Dimension dieses Wunsches, um «Deutschland einig Vaterland», sondern mehr um die Sehnsucht nach der Vereinigung mit den abgespaltenen und verbotenen Seiten des eigenen Selbst. Auf der anderen Seite ist eine riesige Enttäuschung darüber entstanden, «daß wir kolonialisiert werden», wie manche es nennen. Unser bisheriges Leben gilt nichts mehr, durch die neuen Maßstäbe wird alles entwertet. Selbst die Freiräume, die wir uns gegen das System geschaffen hatten, verlieren ihren Sinn. Wir haben also zur gleichen Zeit das befriedigende Gefühl von Befreiung und das bekannte unangenehme Gefühl der Unterdrückung.

Moeller: Im Grunde genommen eine Art befreiender Unterdrükkung.

Maaz: Oder eine unterdrückende Befreiung.

Moeller: Was aber meinen Sie mit den Freiräumen, die Sie sich gegen das Regime geschaffen haben und die nun verloren sind?

Maaz: Wenn ich mir meinen eigenen Lebensweg anschaue, war die Psychotherapie der entscheidende Freiraum für mich. Nicht nur ein Schutzraum in unserer «Psychowelt» und dazu im Verantwortungsbereich der evangelischen Diakonie, sondern vor allem die Chance, mit Hilfe meiner Arbeit offener, ehrlicher und authentischer mit anderen Menschen umgehen zu können. Mein Beruf war für mich niemals nur ein Job, sondern die große Möglichkeit, in diesem repressiven System freier leben zu können. Dies hat sich natürlich auch auf meine privaten Beziehungen ausgewirkt, denn ich konnte ja nicht Psychotherapeut werden, ohne an meinen eigenen Problemen zu arbeiten und meine Verbiegungen zu erkennen. Allmählich habe ich meine Kontakte verändert, mich von den oberflächlichen Feten zurückgezogen und meine Beziehungen auf wenige, aber intensive Begegnungen reduziert. Auch unter den Kollegen nutzten wir die Möglichkeit, nicht nur *über* etwas zu sprechen, sondern auch von uns selbst. Dabei haben wir auch immer mal auf das System geschimpft, geflucht und gelästert, ohne gleich Angst haben zu müssen, bespitzelt und denunziert zu werden. Ich hatte für mich entschieden, in diesem Freundeskreis ist mein Freiraum, hier nehme ich keine Rücksichten mehr. Ich heuchle sonst schon genug, und wenn mich jemand denunzieren sollte oder wenn wir abgehört werden, dann muß ich eben die Konsequenzen tragen. Dies war ein langer Prozeß, aber schließlich ein befreiender, und ohne dieses Ventil hätte ich hier kaum leben können. Es entstand eine herzliche Verbundenheit und Vertrautheit, die jetzt verlorenzugehen droht.

Moeller: Auch meine Motivation, Psychoanalytiker zu werden, setzte schon sehr früh ein. Ich habe Medizin studiert, um Psychoanalytiker zu werden. Es ging mir nicht sonderlich um das Medizinstudium, das mir viel zu technokratisch, zu äußerlich und zu faktisch war. Ich habe deswegen zusätzlich Philosophie studiert. Bei Ihren Worten ist mir aufgefallen, daß auch ich mir das Ziel gesetzt hatte, selbst intensiv zu leben, um anderen zu einem intensiven Leben zu verhelfen. Vielleicht empfand ich damals schon, daß vieles zu oberflächlich ist, vielleicht wandte ich mich damit unbewußt gegen die Entleerung des Lebens. Im Westen ist das dominante Problem die innere Leere, die Beziehungslosigkeit durch bloßes Nebeneinanderleben – nicht die Unterdrückung. Hier fühle ich mich dagegen eher an frühere geschichtliche Zeiten erinnert. Es gibt noch Beziehungen zwischen den Menschen, sie sind aber konflikthaft. Hier führt die Unterdrückung dazu, daß man nicht zu sich selbst kommt, bei uns ist es die Leere, die Beziehungslosigkeit.

Maaz: Das stimmt. Wir waren eine Notgemeinschaft, eine Solidargemeinschaft, die sich verbunden fühlte durch den gemeinsamen Feind und das Miteinander gegen eine unerträgliche Obrigkeit. Wir mußten mit den Schwierigkeiten des Systems irgendwie zurechtkommen, und die Notwendigkeit gegenseitiger Hilfe, die aus diesem Mangel resultierte, stiftete auch Beziehungen, war angenehm.

Moeller: Ich werde – merke ich – fast etwas neidisch wegen dieser Chance zu Freundschaften, in denen man wirklich eng miteinander verbunden ist. Zwar wurden sicherlich auch die inneren Gegensätzlichkeiten angesichts des ständig präsenten Außenfeindes weggebügelt, aber trotzdem war es eine Gemeinschaft, die durch den gemeinsamen Gegner gestiftet wurde.

Maaz: Ohne solche Beziehungen hätte ich es hier nicht ausgehalten. Sie waren für mich einfach überlebenswichtig.

Moeller: Hat dieses unmenschliche Regime auf diese indirekte Weise nicht auch Menschlichkeit produziert? Mir fällt wieder mein zentrales inneres Bild ein: Wenn ich in die DDR fahre, kommt es mir vor, als führe ich in ein Verlies. Ich entdecke, daß es in diesem Verlies eine innere Verbundenheit und Menschlichkeit gibt, die sich im Westen gar nicht bilden kann. Die Verführungskünste der Freizeitindustrie sind so enorm, daß man, selbst wenn man sich in Gemeinschaften trifft, nicht wirklich zusammen ist.

Maaz: Diese Seite unseres Lebens kann ich durchaus positiv sehen. Wenn ich irgend etwas brauchte, blieb das niemals nur eine Geschäftsbeziehung, sondern wir mußten das Entsprechende «organisieren». Vieles bekam man nur über eine Art mittelalterlichen Tauschhandel. Wenn ich irgend etwas haben wollte, was es im Geschäft nicht gab, war mir klar, daß ich demjenigen, der es mir beschaffte, verpflichtet war. Ich bezahlte nicht nur mit Geld, sondern oftmals auch mit Gegenleistungen. Solche Art Geschäfte gingen gar nicht ohne persönlichere Beziehungen.

Moeller: Das war dann eine Art Handelsbeziehung.

Maaz: Ja, eine Handelsbeziehung mit persönlicher Note. Aber das gegenseitige Sichhelfen rückte natürlich auch die äußeren Probleme in den Mittelpunkt und verdeckte die innere Bedürftigkeit. Die Sehnsucht nach Bestätigung und Zuwendung hat sich also mehr im Beschaffen von Ersatzteilen ausgedrückt als in einem wirklich emotionalen Prozeß. Diesen Zusammenhang habe ich erst mit meiner psychotherapeutischen Ausbildung verstanden. Ich merkte, daß ich im Grunde genommen nach ganz anderen Dingen bedürftig bin als nach äußeren Mangelwaren und fand dies später bei vielen Menschen wieder. Aber es war nicht leicht, sich darüber offen zu verständigen.

Moeller: Das ist im Westen wohl nicht anders.

Maaz: Ich empfinde sehr wohl auch die Oberflächlichkeit, den Zweck und die Verschworenheit unserer Beziehungen im Osten – was aber ist dann erst mit den Menschen im Westen, wenn sie die «Menschlichkeit» unserer Beziehungen so hervorheben?

Die projektive Abwehr des Schmerzes

Zweites Zwiegespräch

Über östliche Unfreundlichkeit und westliche «Krawattenmenschen» – über die Minderwertigkeitsgefühle der Ostdeutschen und den Überlegenheitsrausch der Westdeutschen – über den anderen Klang der Kinderstimmen in Halle und die frühreifen Kinder in Westdeutschland – über die Familie als Fluchtburg im Osten und die «elternlose Gesellschaft» im Westen – über den Geburtenrückgang in Deutschland und die problematischen Seiten der Emanzipation – über die Sexwelle in Ostdeutschland und den produktionsorientierten Liebesakt in Westdeutschland – über die Verdrängung der NS-Vergangenheit und den Heilungsrausch der Vereinigungsnacht

Maaz: Ich möchte berichten, wie es mir ergangen ist bei meinen ersten Reisen nach Westdeutschland. Ich halte drei Erfahrungen für wichtig, weil sie etwas über die Unterschiede zwischen Ost und West aussagen. Das erste war, daß ich angenehm überrascht war, fast überall in den «öffentlichen» Kontakten auf Freundlichkeit zu stoßen, etwas, was ich in der DDR so nicht kennengelernt hatte. Ob bei der Bundesbahn am Schalter, ob im Reisebüro, in den Geschäften, in den Gaststätten oder auf der Straße, wenn ich fremde Menschen um Hilfe bat, ja selbst bei Behörden – überall begegneten mir Höflichkeit und Freundlichkeit, die ich genossen habe. Das Gefühl, daß ich als Kunde oder Gast erwünscht bin, war sehr angenehm. In der DDR war man ja in solchen Situationen stets Bittsteller und wurde häufig erst mal abgekanzelt. Fast immer wurde man belehrend oder schroff behandelt.

Auch die perfekte Organisation der Serviceleistungen hat mich staunen lassen. Es schien einfach alles zu funktionieren und war wirklich auf die Menschen zugeschnitten. Um nur ein kleines Beispiel zu nennen: Als ich mit der Bahn auf die Zugspitze fahren wollte, herrschte ziemlicher Andrang, für mich eine unangenehm gewohnte Erfahrung. Das bedeutete also, anstehen zu müssen. Aber nichts dergleichen – ich bekam eine numerierte Karte mit dem Hinweis, um welche Uhrzeit ich fahren konnte, so daß ich noch eine gute Stunde spazierengehen konnte, statt mich im Gedränge dämlich zu ärgern. An und für sich waren dies ganz einfache und selbstverständliche Regelungen, auf die aber in der DDR niemand gekommen wäre.

Eine Ernüchterung trat erst ein, als ich langsam begriff, daß auch im Westen natürlich nicht ich persönlich gemeint war, sondern es vor allem darum ging, mich möglichst dazu zu bewegen, mein Geld auszugeben. Und dieses Ziel war so geschickt mit Freundlichkeit umhüllt, daß ich anfangs öfters den raffinierten und verlockenden Werbetricks zum Opfer fiel.

Die dritte Erfahrung hat etwas mit einer Mentalität zu tun, die ich bei Westdeutschen öfters angetroffen habe und die mich geärgert und aufgeregt hat. Ich meine so eine aufdringliche, laute und arrogante Art, ein mäkeliges Gebaren und auch sehr oberflächliche Kontakte. Ich beobachtete immer wieder Gespräche, die vor allem darin bestanden, sich selber herauszustreichen – einer wollte immer besser sein als der andere. Man versuchte zu glänzen mit besonderen Erlebnissen, mit weiten Reisen oder einem günstigen Kauf. Das ewige Gerede von «preiswerten» Waren, von einem besonderen «Schnäppchen» und davon, wo irgend etwas billiger oder teurer ist, ging mir auf die Nerven. Geld war irgendwie immer ein Thema! Die kleinkarierte Variante dieses Verhaltens habe ich schon bei uns kennengelernt, wenn es hieß: «Was ich wieder aus dem Westen bekommen habe!» Für mich ist aufschlußreich, daß das Rivalisieren bei uns vor allem auf Westprodukte orientiert war, daß also diese westliche Mentalität gewissermaßen sogar die Mauer überwinden konnte.

Moeller: Vielleicht kann ich *mein* Bild von den Ostdeutschen dagegensetzen, wobei ich sagen muß, daß meine Begegnungen sehr wenige waren, aber man entnimmt ja auch oftmals einem einzigen Menschen oder einer kleinen Menschengruppe sehr viel, was charakteristisch für das Ganze ist. Im Gegensatz zur Freundlichkeit, die Sie im Westen erlebt haben, habe ich auf der Fahrt hierher tatsächlich die umgekehrte Erfahrung machen müssen – eine Unfreundlichkeit, die mich völlig überraschte. Ich glaube, ich war unauffällig angezogen, als Westler also nicht sofort zu erkennen, so daß ich behandelt wurde wie jeder andere. Ich denke beispielsweise an den erwähnten Omnibusfahrer, der von einer solchen Verdrießlichkeit, Mürrischkeit und beinahe kränkenden Abweisung war, daß ich mir sagte, so ein Mensch würde nie im öffentlichen Verkehrswesen der Bundesrepublik eingestellt werden. Und wenn er bereits Dienst täte, würde man ihn versetzen. Mich schockierte nicht nur der kurze Kontakt, als ich mein Geld hinlegte, um die Fahrkarte zu bezahlen, und er mir die Fahrkarte vollkommen zerknüllt hinwarf. Seine ganze Mikrogestik war voller Aggression, und seine muffelige Machthaltung war keineswegs nur auf mich bezogen. Er war einfach ein Kleindiktator in seinem Territorium.

Maaz: Das kennen wir seit 40 Jahren.

Moeller: Es gibt natürlich auch in Westdeutschland mürrische Leute, aber das sind eher Ausnahmen und sehr selten in dieser eindrucksvollen Ausprägung. Als ich den Busfahrer dann am Leipziger Hauptbahnhof höflich fragte, ob ich auf die Ost- oder Westseite gehen sollte, um meine Fahrkarte zu kaufen, erhielt ich wieder so eine pampige Abfuhr: Damit müsse ich selber zu Rande kommen, er wisse hier nicht Bescheid – in einer Tonlage, als wollte er sagen: «Was soll denn der ganze Quatsch dieser Frage?» Angesichts seiner großen Leibesfülle dachte ich, er habe an sich selbst genug zu schleppen und sei nicht repräsentativ für Ostdeutschland. Doch am Fahrkartenschalter stieß ich auf die gleiche Reaktion, als ich die Beamtin danach fragte, auf welchem Gleis der Zug abfahre. Ich fühlte mich aus irgendeinem Grund ziemlich orientierungslos, wie in einem fremden Land, und selbst als ich danach fragte, wo ich mich informieren könnte, reagierte die Beamtin in einer Weise, als wäre meine Frage eine Zumutung. Nach dem Motto: «Was fällt Ihnen eigentlich ein, mich zu fragen? Sie brauchen doch nur um die Ecke zu gehen, da hängt ein Aushang!» – was ich natürlich nicht wissen konnte. Das Wesentliche dabei war nicht nur, *was* sie sagte, sondern *wie* sie es sagte.

Das andere Grunderlebnis, das ich mit der DDR hatte und das viele Westdeutsche mit mir teilen, ist die Fahrt nach Berlin und zurück. Ich habe sechs Jahre in West-Berlin gelebt und konnte die kontaktlose, peinlich exakte, beinahe bedrohliche Kontrolle mehrfach am eigenen Leib erfahren – das war meine Begegnung mit dem Regime, und sie machte mir angst. Ich stellte mich zwar auch ab und zu auf die Hinterbeine, aber im wesentlichen habe ich mich angepaßt, habe alles, was die Beamten verlangten, exakt gemacht, um nur nicht anzuecken. Und ich vermutete dieses gräßliche Klima auch im Alltagsleben der DDR.

Maaz: Ich höre das mit einer gewissen Schadenfreude. Genau das hat unser Leben stets begleitet, das hat uns zermürbt. Überall diese kleinen Diktatoren, und immer diese Ohnmacht aufgrund des großen Drucks zur Anpassung. Ich dachte manchmal, daß die Westdeutschen das besser bewältigen würden als wir, daß sie sich nicht so beschämend unterkriegen lassen würden. Daß auch Sie ängstlich waren und angepaßt, beruhigt mich ein bißchen, weil es offenbar nicht nur unsere eigene Unfähigkeit war, diesem System der ständigen Demütigung wirksam zu begegnen. Das System war tatsächlich so arrangiert, daß Angst und Ohnmacht unvermeidlich waren.

Moeller: Der Unterschied war nur, daß es für DDR-Leute um die ganze Existenz ging, während ich nur die Durchreise wollte. Aber selbst da wußte man, daß man, wenn man irgend etwas tat, was den Vertretern dieses Staates nicht paßte, einfach in den Wartesaal gesetzt wurde und dort fünf Stunden warten mußte.

Maaz: Entscheidend ist, daß es reale Strafen für unbotmäßiges Verhalten gab – das macht das kleinlaute Unterordnen wieder verständlich.

Moeller: Für mich war das ein schrecklich bedrückendes Gefühl, das es jetzt glücklicherweise nicht mehr gibt – dieses Angstmoment ist weg. Ich habe einmal eine Bemerkung von einem Albaner gelesen, die genausogut von jemandem aus der DDR stammen könnte: Fünfzig Jahre lang, schrieb der Mann, habe ich nie die Wahrheit sagen können – jetzt bin ich zum erstenmal in meinem Leben in einer Situation, in der ich offen sprechen kann. Mich hat das sehr berührt. Und ich frage mich, was diese Unfreiheit mit den Menschen macht, oder psychoanalytisch gesprochen – wie tief geht sie in die seelische Struktur ein? Ist sie nur eine oberflächliche Erfahrung, die sich irgendwie auswächst, oder prägt sie nicht doch das ganze seelische Verhalten und Erleben? Bedeutsam ist für mich noch ein anderer Aspekt – dieses merkwürdige Gefühl, daß alle Ostdeutschen irgendwie älter sind als ihre Altersgenossen im Westen.

Maaz: Älter erscheinen!

Moeller: Älter erscheinen – als wären sie «vorgealtert». Ich glaube, das liegt daran, daß die Menschen in der DDR zu viel reglementiert wurden. Sie kommen gleichsam aus dem Verlies und konnten durch zu viele Enttäuschungen, durch zu wenige Chancen ihr eigenes Potential nicht entfalten. Der «Jungbrunnen» liegt aber meines Erachtens dort, wo man zu sich selbst kommt, wo man auf sich selbst hören und achten kann. Wenn man dauernd «Spalierobst» werden soll und sich immer nach etwas richten muß, wird einem der eigene Atem genommen.

Ein anderes Gefühl, das ich im Osten habe, ist der Eindruck, ich blicke in die Vergangenheit zurück. Wenn ich hier bin, habe ich immer die Trümmerarbeit der Nachkriegszeit in Hamburg vor Augen, als wir Steine klopften. Die Menschen in der ehemaligen DDR kommen mir oft so vor wie in dieser unmittelbaren Nachkriegszeit. Das fängt bei der Kleidung an – alles wirkt so zurückgeblieben, hat nichts, überhaupt nichts vom Atem der großen weiten Welt. Natürlich gibt es solche Differenzen auch zwischen Frankfurt am Main und Paris, aber verglichen mit Frankfurt kommt mir die DDR völlig provinziell vor. Eine dumpfe Provinz, in der das Gros der Menschen nichts von jener Nachdenklichkeit und Offenheit hat, wie man sie vielleicht aus der besseren DDR-Literatur kennt. Sie hatten – das hat mich sehr bedrückt, als Sie das sagten – niemals die Chance, sich selbst zu entfalten und zu sich zu kommen, Kreativität und Spontaneität zu entwickeln.

Schließlich beeindruckte mich noch etwas anderes, was Sie in Ihrem Buch * ausführlich beschrieben haben – die ungeheuer großen emotionalen Hemmungen und Verkrampfungen der DDR-Bürger. Ich denke zum Beispiel an eine Begegnung mit einem damals noch DDR-offiziellen Repräsentanten der Psychotherapie, als das Regime noch nicht gefallen war. Die Art und Weise seines Vortrags ähnelte fatal der Art und Weise, wie ich sie ab und zu im Fernsehen oder Rundfunk bei offiziellen Reden aus der DDR gehört habe: unentfaltet, zwanghaft und gehemmt, sich geradezu an den Buchstaben des Textes festhaltend, ein bißchen ängstlich, aber diese Ängstlichkeit überspielend mit einem betont selbstbewußten, schroffen, fast trotzigen Auftreten. In psychoanalytischen Worten: eine gehemmte Analität. Ähnliche Erlebnisse hatte ich aber auch mit Verwandten und Bekannten, die mich besuchen kamen: Überall stieß ich auf eine ängstliche, starre Haltung. Die Familie, mit der ich verwandt bin, besteht aus Menschen, die es im öffentlichen Leben der DDR teilweise weit gebracht haben. Und ich habe das Gefühl, je höher man kommt, desto angepaßter und hölzerner wird das Auftreten.

Am Beispiel dieser Familie erlebe ich jedoch nicht nur diese Gehemmtheit, sondern spüre auch deutlich, wie sie mich und den Westen erleben. Ich begegnete einer maßlosen Idealisierung des Westens, die mich an Jugendliche erinnerte, die von irgend etwas begeistert sind und überhaupt nicht mehr in der Lage sind, dieses auch kritisch zu betrachten. Sie waren vom Glanz des Westens wie geblendet, so daß bei den Wahlen in Ostdeutschland in meinen Augen tatsächlich buchstäblich die Deutsche Mark gewählt wurde, das heißt der Westen in seiner etablierten und nicht in seiner kritisch überlegenen Form.

* Hans Joachim Maaz: Der Gefühlsstau. Ein Psychogramm der DDR, Berlin 1990.

Ein anderes Empfinden, das ich bei meinen menschlichen Begegnungen mit Ostdeutschen hatte, ist etwas merkwürdig Trübsinniges und Depressives. Es war nicht offen traurig; das hätte ich sehr gut gefunden, weil ich dann auch Nähe erlebt hätte. Vielmehr hing immer eine Art Grauschleier über den Ost-West-Beziehungen. Ich fand zum Beispiel die Menschen nicht besonders attraktiv. Ich war von ihnen nicht erotisiert. Wenn ich mir vorzustellen versuchte, mich in der DDR zu verlieben, ging das gar nicht. Ich hatte das Gefühl, die Menschen wären seelisch «zusammengedrückt» wie viel zu kleine Betten. Als ich heute früh in meinem Zimmer aufwachte, war witzigerweise an der Fußseite meines Bettes das Abschlußbrett aus dem Scharnier gegangen, und ich hatte das Gefühl, ich läge tatsächlich in einem zu kleinen Bett. Ich sehe darin ein Symbol für die Reglementierung, für dieses einengende Grundgefühl: «Ich kann hier nicht so leben, wie ich eigentlich möchte».

Maaz: Was Sie da über uns sagen, ist ja im Grunde genommen starker Tobak. Aber eigenartigerweise fühle ich mich gar nicht gekränkt, wenn Sie feststellen, daß wir eingeengt, gehemmt, konventionell, «vorgealtert», nicht erotisch, eben furchtbar spießig sind. Im Prinzip sehe ich das genauso und habe das auch in ähnlicher Weise diagnostizieren müssen. Aber im Moment empfinde ich nicht so sehr Scham darüber, sondern sehe vor allem den Trotz, der sich darin ausdrückte – als hätten wir damit diesem beschissenen System demonstrieren wollen, wie wir in Wirklichkeit zu unserem Staat stehen. Wir sollten ja alle glückliche, fröhliche, allseitig gebildete und vor allem dankbare «Kinder» sein; indem wir das Gegenteil praktizierten, haben wir uns gewehrt wie ein kleines Kind, das mit erfrorenen Fingern nach Hause kommt und seiner Mutter den Vorwurf macht: «Siehst du, das hast du davon! Warum ziehst du mir keine Handschuhe an?»

Gleichwohl bin ich auch ärgerlich darüber, daß wir uns so eingerichtet und uns dabei so selbstbeschädigt haben. Wenn ich mir auf der anderen Seite die Westmenschen angucke mit ihrer oftmals übertriebenen Lockerheit, ihrer Sauberkeit und Jugendfrische, aufgemotzt und für den «Markt» und für den Konkurrenzkampf «kosmetisch» zurechtgemacht – dann rümpfe ich auch die Nase. Manchmal sage ich: «Jetzt kommen die Krawattenmenschen oder die Anzugsmenschen.» Die sind mir ähnlich unangenehm wie Ihnen die Begegnungen mit Ostdeutschen. Ich fühle mich in dieser aufgemachten Vornehmheit nicht wohl, mag diese Etiketten nicht, diese übertriebene Cleverness und Weltgewandtheit, die meistens mehr verspricht, als sie hält, wenn man hinter die Fassade schaut.

Wahrscheinlich urteilen wir beide jetzt etwas zugespitzt und klischeehaft. Aber ich entdecke darin auch etwas von dem «Westkomplex», an dem bei uns viele leiden. Ich selber hatte meist das Gefühl, alles, was wir hier im Osten haben, tun und sind, ist minderwertig. Als ich die ersten Male eingeladen war, um «drüben» Vorträge zu halten, habe ich Blut und Wasser geschwitzt, ob ich da überhaupt bestehen könnte und ob das, was ich zu bieten hätte, für Westbürger überhaupt interessant sei. Daß es auch von West nach Ost ein Interesse geben könnte, daß Nachbars Kirschen irgendwie besser schmecken, wäre mir gar nicht in den Sinn gekommen. Ich hab mich minderwertig gefühlt und damit den Westen überhöht, denn so war ich konditioniert.

Alles was aus dem Westen kam, hatte ja tatsächlich meistens auch mehr Qualität: Die Seife roch besser, der Joghurt war schmackhafter, die Kleidung schicker, die Autos schnittiger usw. usw. Auch in meinem Fach habe ich mich fast ausschließlich an der westlichen Literatur orientiert, stets mit dem resignierenden Neid, was *die* alles haben und können. Es hat eine Weile gedauert, bis ich gemerkt habe – und dazu war das gegenseitige Kennenlernen nötig –, daß ich gar nicht so schlecht bin, in manchen Dingen sogar durchaus besser. «Die kochen ja auch nur mit Wasser», stellte ich zunächst ungläubig-erstaunt, dann aber sehr erleichtert fest. Ich hatte mich selber nicht wirklich ernst genommen, nicht richtig angenommen, was eine Folge meiner permanenten Erfahrung von Ablehnung war. Meine Eltern waren weder bereit noch in der Lage, mich wirklich zu verstehen, und erst recht nicht dieses System. So blieb ich auf Distanz, was mein Selbstwertgefühl untergraben hat, denn nur in der trotzigen Gegen-Identität fand ich Kraft. Ich habe meine Kränkung und den Schmerz projektiv abgewehrt, indem ich den Westen idealisierte. Interessanterweise verdanke ich jetzt auch mein gewachsenes Selbstbewußtsein dem Westen. Und ich genieße das aus dem Gefühl heraus, daß mir das zusteht. Natürlich habe ich, besonders im Umgang mit den Medien, schon zu spüren bekommen, daß das Interesse an meiner Person viel mit dem Marktwert zu tun hat und nicht nur mit meinen Gefühlen und Erfahrungen. Das ist eine gute Schule für mich. Ich kann inzwischen unterscheiden zwischen den Geschäftemachern und solchen Journalisten, die wirklich an Inhalten, Personen und Schicksalen interessiert sind.

Moeller: Was ich über mein Bild vom Osten gesagt habe, was ich in der DDR erlebt habe, trifft aus irgendeinem Grunde auf Sie nicht zu. Sie sind für mich eine extreme Ausnahme. Wir haben uns ja bereits vor den Zwiegesprächen gesehen, als Sie im Herbst 1990 einen Vortrag zur Psychodynamik der «Wende» gehalten haben, auf den Gruppenanalyseseminaren, die ich zur Weiterbildung von Einzelanalytikern zu Gruppenanalytikern begründet hatte. Das klang frei, aufgeschlossen, locker, und jeder sagte: «Das ist einer von uns.» Vielleicht rührt das daher, daß Sie sich als psychoanalytisch ausgerichteter Psychotherapeut einen ganz anderen inneren Freiraum bewahren konnten. Sie lebten in einer Art «ökologischer Nische».

Was Sie über den Westen gesagt haben, über die «Krawattenmenschen» und diese Schickimicki-Wirklichkeit, so ist dies wirklich häufig eine fatale Scheinwelt. Die Menschen sind nur nach außen orientiert und stehen gar nicht mit sich selbst in Berührung. Ich will also keineswegs sagen, daß «die im Westen» besser sind oder das Gegenteil von den Ostdeutschen darstellen. Ich wollte nur ganz spontan und direkt mein erstes, unreflektiertes Bild von «denen im Osten» mitteilen. Ich erlebe sie aufs Ganze gesehen als reglementiert, unterdrückt und etwas abgekapselt.

In gewisser Weise war es auch erholsam für mich, diese doppelstöckigen Eisenbahnwaggons von Leipzig nach Halle zu erleben. Ich habe sie als Symbol wahrgenommen, daß die DDR ein eigener

Staat für sich war, mit einer eigenen Identität, eigenen Handlungsbeziehungen – Ostdeutschland als ein eigenständiger Organismus mit seiner eigenen Welt. Gestern, als ich in den Auen an der Saale spazierenging, sind mir mehrfach Eltern, Väter oder Mütter mit Kindern begegnet. Der Klang dieser Kinderstimmen erschien mir ganz anders als der Klang von Kinderstimmen im Westen. Ich kann nicht genau ergründen, warum. Erscheinen mir diese Kinder irgendwie angepaßter? Ich glaube, das Entscheidende ist, daß die Kinder so wirken, als ruhten sie mehr in sich, als lebten sie mehr in Beziehungen, als wären Eltern und Kinder stärker aufeinander bezogen. Die Kinder erscheinen mir hier fast ein bißchen verinnerlichter, besonnener; sie wirken auch noch kindlicher – auf eine angenehme Weise kindlicher.

Im Westen sind die Kinder nervöser, überaktiver, anspruchsvoller, verwöhnter und auf eine falsche Weise frühreif. Sie sind stärker in die Massenmedien hineingezogen. Diese Erfahrung werden Sie auch noch machen. Als Vater weiß ich, daß Sie den Kindern in Westdeutschland nichts Besseres bieten können als eine gutgemachte Fernsehsendung. Eine Fernsehsendung wird von Kindern fast immer vorgezogen – schon allein deshalb, weil sich da fünfzig bis hundert Menschen Gedanken gemacht haben, wie sie den Kindern eine Geschichte schmackhaft machen können. Hinter jeder Sendung steht ein mächtiger Kulturbetrieb. Ich denke dabei etwa an die «Sesamstraße» oder an bestimmte Kindersendungen. Später kommen Fernsehfilme dazu. Wenn ich mit meinen Kindern gerne spielen möchte, ihnen vorschlage, selber ein Spiel zu wählen, antworten sie: «Ach, das ist so langweilig!» Oft einigen wir uns dann auf einen Film, den die Eltern gut finden und sehen möchten und den die Kinder auch gut finden. Dann kauern wir vor dem Glaskasten, und ich stelle wieder einmal fest, daß ich als Vater nicht im entferntesten bieten kann, was in so einem Film abläuft. Ich kann Liebe bieten, Zuneigung und alles Mögliche an Vorschlägen, Gedanken, Gefühlen, Erinnerungen – doch das finden Kinder heute zuwenig. Und mit einem gewissen Recht. Ein «E.T.» ist wirklich attraktiver. Dieser Film, bei dem es um einen «Marsmenschen» geht, der auf die Erde kommt, ist bei uns ein großer Renner gewesen. Dagegen ist man einfach machtlos. Die Familie ist durch die Massenmedien zur Makulatur geworden. Sie ist längst auf unauffällige Weise ausgebootet worden. Aber sie bemerkt es nicht, weil sie, wenn sie vor dem Fernseher sitzt, sich immer noch in der Illusion wiegen kann, sie *sei* eine Familie. Dabei wird sie ja gerade durch das Fernsehen voneinander isoliert, sozusagen auseinandergenommen.

Mein kleiner Sohn, den ich sehr liebe, ist, obwohl erst elf Jahre alt, bereits in die Computerwelt integriert. Er hat zum Geburtstag einen Spielcomputer bekommen. Inzwischen «liest» er schon Zeitschriften auf englisch und französisch; er versteht die Sprachen gar nicht richtig und findet sich trotzdem durch. Von dem Computer geht eine Gewalt der Faszination aus, die unglaublich ist. In Ostdeutschland gab es das nicht, und weil es fehlte, kam den menschlichen Beziehungen eine größere Bedeutung zu – diesen Eindruck gewann ich jedenfalls, als mir die Kinder in den Saale-Auen von Halle begegneten.

Maaz: Mein Eindruck ist, daß West-Kinder in der Tendenz enthemmter, vor allem auch anstrengender und aufdringlicher sind als unsere Kinder. Ich denke manchmal, ihnen müßten auch häufiger Grenzen gesetzt werden, sie bräuchten ein Gegenüber, das ihnen auch manchmal entgegentritt. Dagegen leide ich darunter, wie sehr unsere Kinder eingeengt sind, und ich wünschte mir oft bei ihnen mehr Frechheit, mehr Mut, mehr Lebendigkeit. In unserem Alltag – im Zug, in der Straßenbahn, auf der Straße oder auf Kinderspielplätzen – traf man fast überall auf das gleiche Ritual, wie Kinder diszipliniert wurden. Oft genug wurde ihnen gedroht – mit kleinen Klapsen oder mit Ausgrenzung und Verboten: «Wenn du nicht parierst, dann ...!» Bahnfahrten in einem Abteil mit fremden Familien waren für mich meistens eine Tortur, so daß ich solchen Abteilen zunehmend entflohen bin – ich hätte sonst den Eltern meine Empörung über ihr autoritäres Verhalten und ihre Falschheit ins Gesicht schleudern müssen.

Moeller: Auch ich habe in Ostdeutschland versucht, auf alle Anzeichen von Drill und Unterdrückung genau zu achten – ohne Erfolg. Ich dachte mir: «Mach dir nichts vor, vielleicht sind das sehr reglementierte Kinder.» Aber für mich ist eindeutig, daß der emotionale Klang ihrer Stimmen anders ist. Ich habe die Eltern auch nicht reglementierend erlebt. Ich erinnere mich an eine kleine Szene, als ein kleines Mädchen eine ganze Weile mal vor, mal hinter mir ging und seinen Vater schließlich um einen Zweig bat, weil sie eine kleine Peitsche haben wollte. Der Vater erfüllte ihr den Wunsch, und ihr wechselseitiges Gespräch – die Kleine war höchstens drei oder vier Jahre alt – enthüllte für mich eine wunderbar gelungene Beziehung. Was mir allerdings auffiel, war, daß der Vater sagte: «Peitsch nicht zu viel in der Gegend rum!» Ich dachte noch: «Muß denn diese Bemerkung unbedingt sein?» Aber tatsächlich war das Mädchen wohl zu stürmisch und fiel hin. Der Vater meinte ruhig: «Siehst du, das hast du jetzt davon!» Zwar argwöhnte ich auch jetzt noch, statt Trost kriegt sie eine Mahnung, aber es war lieb gesagt, und es ging nicht wirklich um Strafe. In Westdeutschland wäre dagegen vielleicht schneller der große Trost, also ein Stück Verwöhnung gekommen. Zunächst weinte das Kind und erzählte, wie weh sein Ellenbogen und Knie täten, aber nach zwei Minuten fing es wieder an zu lachen. Wie das Mädchen erst durch dieses Leiden gegangen war, wie es dann plötzlich wieder zu sich kam und wie es ganz bei sich bleiben konnte, hat mir sehr gefallen.

Maaz: Über diese Einschätzung wundere ich mich schon. Aber mir fehlt der Vergleich, wie es im Westen ist. Ich sehe bei uns vor allem die Einengung und Disziplinierung der Kinder.

Moeller: Worunter ich vielleicht weniger leide als Sie.

Maaz: Mir fällt ein anderes Beispiel ein: Ein kleines Mädchen bekam einen Bonbon und verlor ihn nach kurzer Zeit, weil es herumtollte. Er war ihr aus dem Mund gefallen, und sie fing jämmerlich zu weinen an. Ich empfand es als typisch, daß die Eltern ihr sofort den nächsten Bonbon nachschoben.

Moeller: War das im Westen?

Maaz: Nein, bei uns. Ich fand es typisch, daß es nicht möglich war, dem Kind den Schmerz über den kleinen Verlust zu lassen. Das konnten oder wollten die Eltern nicht aushalten. Und das entspricht genau der weitverbreiteten Erziehungsnorm bei uns, Gefühle nicht zuzulassen oder sie jemandem ausreden zu wollen. Eine andere Möglichkeit war, dem Kind ein Schamgefühl für seinen Gefühlsausbruch einzureden: «Nun hab dich doch nicht so, mach nicht so einen Lärm wegen eines Bonbons.» Denn Kinder sollten bei uns weder weinen noch schreien, noch Angst empfinden. Wenn sie zum Arzt begleitet wurden, dann wurde ihnen eingeredet, es würde nicht weh tun und sie bräuchten gar keine Angst zu haben, obwohl das meistens gelogen war. Warum konnte man ihnen nicht sagen, daß es weh tun könnte, und erklären, warum und weshalb, daß Angst und Schmerz berechtigt sind, daß unangenehme Prozeduren manchmal notwendig sind und daß man sie durchstehen kann, auch wenn es weh tut. Eine solche Haltung gab es bei uns kaum.

Moeller: Ich weiß nicht, ob es das in Westdeutschland häufiger gibt. Der sofortige Trost, das Überversorgen spielt wahrscheinlich eine größere Rolle. Aber bei uns lautet die Klage der Eltern, mit denen ich zusammenarbeite, doch eher: «Wir haben zu wenig Zeit für die Kinder»; «wir sind zu wenig, zu selten zu Hause»; «wir haben unsere eigenen Bedürfnisse». Dafür ist nicht nur der größere Arbeitsdruck verantwortlich, sondern auch die ständige Verführung durch die vielen Angebote.

Das bestätigt eine neuere Untersuchung über die Ursachen der abnehmenden Kinderzahl.* Die niedrige Geburtenrate ist ja ein dramatisches Phänomen – merkwürdigerweise in Ost *und* West. Die Bundesrepublik und die DDR waren in ihren Blöcken jeweils die Länder mit dem größten Geburtenrückgang – beide waren schrumpfende Nationen. Das halte ich nicht für einen Zufall, sondern sehe das als ein Symptom unserer Beziehungswelt an. Früher verblüffte mich diese Parallelität; ich meinte, es sei eine Begleiterscheinung der deutschen Tüchtigkeit. Sowohl die DDR als auch die Bundesrepublik waren beide sehr erfolgreiche Nationen in ihrem jeweiligen Wirtschaftssystem. Das kommt sicher nicht von

* Horst W. Opaschowski: Freizeitalltag von Frauen, Hamburg (B.A.T. Freizeit-Forschungsinstitut) 1990.

ungefähr, sondern dahinter muß ein deutsches Gesamtverhalten liegen – im Vergleich zu anderen Nationen also ein Mehr an innerer Disziplinierung, Ordnung und Sauberkeit, an Funktionalisierung und Fleiß im guten wie im bösen Sinne. Das macht offensichtlich den deutschen Charakter mit aus. Mein erster Gedanke war, daß es diese Leistungsorientiertheit den Menschen sehr schwer macht, die Kinderwelt mit ihrer ganzen chaotischen Lebendigkeit noch zusätzlich auf sich zu nehmen. Aber hinzu kommt, daß Paare heute deswegen oft auf Kinder verzichten, damit sie sich die Genüsse des Lebens leisten können. Kinder bedeuten nämlich einen enormen «Konsumverlust», einen Verzicht auf die neue Lust am Warenrausch. Man kann mit Kindern keine großen Reisen mehr machen, sich dies und das nicht mehr leisten, man muß vieles aufgeben, was für andere zum Leben dazugehört. Es ist heute ohnehin kaum zu glauben, wieviel Geld man im Westen aufbringen muß, um ein Kind bis zum achtzehnten Lebensjahr zu bringen: 250 000 Mark kostet, glaube ich, ein einziges Kind im Durchschnitt seine Eltern. Wenn mir diese Perspektive auch fremd ist und vielen unpassend scheinen mag, spielt sie natürlich faktisch doch eine enorme Rolle.

Der Rückgang der Geburten wird also nach meiner Meinung weitergehen. Ab und zu ist zwar vom Babyboom die Rede – es gibt plötzlich wieder sieben Prozent mehr Kinder, was ja nicht unerheblich ist –, aber dann hat ein Paar im Durchschnitt statt 1,2 eben 1,29 Kinder, das fällt also nicht besonders ins Gewicht.

Aber wie erklären Sie sich diese Babybaisse für Ihr Land? Sie wurde im Osten doch nur aufgefangen, als mehr Kindergeld gezahlt wurde und durch die Kindervergünstigungen plötzlich wieder ein Geburtenschub einsetzte.

Maaz: Die Überlegung, was Kinder kosten, höre ich zum erstenmal – das allein scheint mir schon ein typischer Unterschied zwischen Ost und West zu sein. Aber es stimmt sicherlich, daß es die Vergünstigungen der sogenannten «Sozialpolitik» den Eltern in der DDR nicht nur erleichterten, Kinder zu bekommen, sondern daß sich manche davon auch dazu motivieren ließen, Eltern zu werden. Insgesamt war jedoch die Lust auf Kinder bei uns nicht besonders groß, was wohl mit der eher resignierten, depressiven Haltung vieler Menschen zusammenhing. Viele haben sich gefragt: Können wir es überhaupt verantworten, Kinder in diese Welt zu setzen, wollen wir uns das zumuten in diesem Staat, mit diesen Schulen usw. Jeder wußte ja, wie es bei uns zugeht, was den Kindern an Disziplinierung und Verbiegung zugemutet werden mußte. Aber es gab auch die gegenteilige Einstellung – die Familie als «Fluchtburg», die Vorstellung, wenigstens in der Kleinfamilie sich etwas zurückziehen und erholen zu können, also ein klein wenig anders leben zu können, als es im übrigen Leben offiziell abgenötigt wurde. Für viele Eltern war es ein schwer zu ertragender Zwiespalt, daß sie anders dachten und mit ihren Kindern anders umgehen wollten, als es die «sozialistische Erziehungspolitik» verlangte. Besonders in den oppositionellen Kreisen waren die «antiautoritären» Schriften sowie alternative Erziehungsmodelle bekannt. Die Kluft, die zwischen Elternhaus und öffentlichem Leben bestand, war beträchtlich und konnte auch die Kinder in schwere Krisen bringen.

Moeller: Was den Westen betrifft, so bin ich noch gar nicht zum wesentlichen Kern vorgedrungen. Ich sehe den Kindermangel nämlich auch als einen Ausdruck der Beziehungen zwischen Mann und Frau. Als Paargruppenanalytiker erlebe ich, daß die Menschen mit ihren eigenen unbewußten Bedürfnissen seelisch sehr viel zu tun haben – sei es, indem sie diese abwehren müssen, sei es, indem sie mit den inneren Konflikten und Ängsten zu Rande kommen wollen, sei es mit ihrer ganzen Enttäuschung über das Leben, die viele sagen läßt: «Ich möchte nicht Kinder in die Welt setzen, die so werden wie ich.» Es ist also das unfertige und beschädigte Leben und Aufwachsen der Eltern selber, das ihnen den Wunsch nach Kindern austreibt. Das Glück, mit Kindern in ihrer ganzen unmittelbaren Lebendigkeit zusammenzusein, also gleichsam die Liebe Fleisch werden zu lassen, was ich heute für das zentrale Motiv des Kinderwunsches halte, nachdem die Kinder nicht mehr für die konkrete Altersversorgung von Bedeutung sind – dieses Glück verblaßt angesichts der faszinierenden Angebote der Freizeitindustrie. Aber wenn Eltern sich fragen, Konsum oder Kinder, und sich für den Konsum entscheiden, ist das durchaus doppelbödig. Sie sind glücklich, weil sie jetzt die äußeren Attraktionen suchen können statt sich selbst. Sie fahren in ferne Länder, sie reisen und reisen – Westdeutschland ist ja das reisefreudigste Land der Welt – sie erleben alles mögliche und können sich auf diese Weise gut von sich selber ablenken.

Maaz: Vieles von dem, was Sie jetzt sagen, empfinde ich so, als wären wir nur eine Art kleiner Bundesrepublik gewesen. Die Tendenz war nämlich ähnlich bei uns, nur etwas kleiner, spießiger, verdünnter und etwa 20 Jahre zurück in der Entwicklung. Der größere Teil der Bevölkerung hat bei uns immer gewünscht, wir müßten endlich auch so leben können wie im Westen. Das Bemühen um innere Demokratisierung von unten dauerte deshalb nur wenige Wochen an, dann haben wir unseren eigenen Gestaltungswillen wieder aufgegeben und westliche Verhältnisse übernommen. Der Wunsch nach westlicher Lebensart war übermächtig, was sich auch in den Wahlergebnissen nach der «Wende» niederschlug. Viele sagen, daß dieser Wunsch doch vollkommen verständlich war. Aber nur allzu gern wird vergessen, daß es dabei auch um Selbstvermeidung ging, also darum, sich nicht wirklich mit sich selbst und mit unseren Verhältnissen auseinandersetzen zu müssen. Der neidische Blick auf die Reisemöglichkeiten, auf die Kauf- und Besitzvorteile durch die D-Mark führte dazu, daß die Nachteile dieser Lebensart bei uns nie richtig reflektiert wurden.

Natürlich hat die SED die Schattenseiten des Kapitalismus propagandistisch ausgeschlachtet, aber das hat eher das genaue Gegenteil bewirkt – der Westen erschien nur noch um so glänzender. Weil die Ablehnung gegenüber der SED im Volk immer stärker wurde, glaubte man ihr nicht. Und so erklärt sich der merkwürdige Widerspruch, daß man den Westen verklärte, obwohl man von Arbeitslosigkeit, sozialen Ungerechtigkeiten, neuer Armut und Ausbeutung der Menschen – besonders in der Dritten Welt – wußte, von Kriminalität, Drogenproblemen, den materialisierten Beziehungen und überhaupt vom dominierenden Einfluß des Geldes. Damit wurden wir tagein, tagaus agitiert – aber wir haben diese Kenntnisse nicht wirklich an uns herankommen lassen. Wir wollten die erfolgreichen Seiten des Westens und den aufgemachten Schein wie eine Droge schlürfen.

Ich weiß von Leuten, die die DDR verlassen hatten und es im Westen nicht «schafften» – und die in ihren Briefen nach Hause ihre wahren Verhältnisse verschwiegen, weil es für sie eine zu große Schmach gewesen wäre, einzugestehen, daß es eben auch beträchtliche Schattenseiten gibt und daß diese sie nun erwischt hatten. Die meisten, die aus der DDR fortgingen, haben auch niemals ernsthaft damit gerechnet, daß sie drüben versagen könnten oder daß sie im westlichen System nicht wirklich Fuß fassen könnten. Und wenn Verwandte mit dicken Autos und gefüllten Taschen bei uns vorfuhren und uns belehren wollten, daß nicht alles Gold sei, was glänzt, daß das Leben im Westen auch sehr schwer sei – dann haben wir das abgetan mit Gedanken wie: «Ach, tut doch nicht so. Wir sehen doch, wie gut es euch geht. Ihr wollt bloß nicht soviel rausrücken.»

Moeller: Die Wahrheit galt also als Lüge.

Maaz: Ja. Das hat dazu geführt, daß wir die westliche Entwicklung um jeden Preis nachvollziehen wollten und nie reflektiert haben, wieviel wir dafür eigentlich bezahlen müssen. Jetzt wird uns das sehr teuer zu stehen kommen, und zwar in jeder Hinsicht. Die Folgen sind Beziehungsverlust, neue emotionale Unterdrückung, psychosoziale Krisen, ganz zu schweigen von den globalen Problemen, die wir mit der gemeinsamen Wohlstandsideologie verstärken werden.

Moeller: Ich denke, hier gibt es einen gemeinsamen Nenner zwischen uns. Ich verwende dafür den Begriff der «Entselbstung», den ich in meinem Buch «Die Wahrheit beginnt zu zweit» besonders in bezug auf die Paarbeziehung auszuführen versucht habe. Die innere Bedeutung der Beziehung ändert sich im Laufe der Zeit. Die Partnerschaft hat heute viel mehr die Bedeutung einer Abwehrorganisation – und zwar in dem Sinne, daß ich mich mit Hilfe des anderen von mir selbst ablenken kann. Eines der wichtigsten Motive, sich in einer Beziehung zu verbinden, liegt darin, noch mehr von sich ablenken zu können, als man es ohnehin schon tut. Auch die Deutsche Mark erlaubt heute eine solche «Entselbstung», überhaupt das

Geldambiente, in dem wir leben. Analog hat das Stasiambiente – ich muß es so hart sagen – im Osten zu einer Entselbstung geführt. So groß die Unterschiede zwischen Geldchancen und Stasiapparat auch sind, beide führen zu einer «Entselbstung», auch wenn es nunmehr für die Ostdeutschen um eine gewünschte «Entselbstung» geht, damit man die Last des eigenen negativen und beschädigten Selbst nicht tragen muß.

Maaz: Solche Erfahrungen habe ich auch in Hülle und Fülle gemacht. Es gibt bei uns viele Beziehungen, in denen der eine am anderen leidet und einer zum anderen sagt: «Du bist unmöglich; weil du so bist, geht es mir schlecht oder kann ich mich nicht entfalten.» Manche Paare finden gerade darin ihren Halt, und ich habe das lange Zeit nicht verstanden. Aber wenn ich nicht am anderen leiden kann, muß ich an mir selber leiden, und wenn ich nicht mehr an diesem verlogenen und repressiven System leiden kann, muß ich mir selbst begegnen. Um eben das zu vermeiden, haben wir ja dieses ganze groteske Schauspiel in der DDR mitinszeniert.

Moeller: Das ist der Punkt, auf den ich abzielte.

Ich möchte an dieser Stelle gerne die Liebe, die Liebesformen und die Sexualität in Ost- und Westdeutschland ansprechen. Im Westen hat die Liebe eine seltsam entleerte Form angenommen. Viele meinen ja zu beobachten, daß die Männer in Westdeutschland weiblicher, zärtlicher, gefühlsoffener geworden sind. Ich bin da überhaupt nicht so optimistisch. Die Größe der Liebe geht zunehmend verloren, und es entsteht eine Art Miniatur-Liebesform. Ich habe versucht, dies in einem Kapitel meines Buches «Die Liebe ist das Kind der Freiheit» * deutlich zu machen. Der konkrete Liebesakt wird auf eine merkwürdige Art seelisch nur noch schwach erlebt, läuft in einer nach Minuten zu messenden Kurzform ab, ist produktionsorientiert auf den Orgasmus beziehungsweise auf die Ejakulation hin und gleicht praktisch der effizienten Herstellung von Gütern in irgendeinem Betrieb. Die Liebe wird also selbst zur Abwehr

* «Wir wollen lieben, aber wir wissen nicht, wie», in: Michael Lukas Moeller, Die Liebe ist das Kind der Freiheit, Reinbek 1986 und 1990.

der Liebe. Das ist, kurz gesprochen, in meinen Augen die bittere Entwicklung der Liebe im Westen. Manchmal liegt über ihr auch eine «Sahnehaube» – wenn ich an die alternativen und esoterischen Entwicklungen denke, bei denen aus der Liebe eine Art Sanftheitskult wird und die Integration der Aggressivität überhaupt nicht gelungen ist; die dunklen, die düsteren, die heftigen Seiten der Liebe werden dabei völlig außer acht gelassen. Die Liebe gerät – zugespitzt formuliert – zu einem verschwommenen Zärtelkram, der die Seele nicht mehr wirklich tief bewegt, sondern wie ein still-gleißendes Glamourgewand angelegt und herumgetragen wird.

Maaz: Das finde ich sehr spannend. Die angespannten Paarbeziehungen, von denen ich sprach, haben natürlich auch die Sexualität verkrampfen lassen: Sexualität als Druck- und Erpressungsmittel, der gegeneinander geführte Kampf der Geschlechter oder eine erheblich lustgestörte Sexualität – all das gehörte zu den häufigsten Erfahrungen, die ich in unserem Land machen mußte. Durch die Vereinigung schwappt jetzt auch die «Sexwelle» zu uns rüber. Wir sind begierig darauf – einerseits aus Neugier wegen der strengen Sexualmoral in der DDR, andererseits aber auch aus Neid wegen der vermuteten größeren sexuellen Freizügigkeit im Westen. Wir haben hier oft über Pornos, Puffs und Peep Shows gelästert, aber das geschah immer auch mit einer gewissen Lüsternheit. Daß Sex im Westen zu einem Konsumartikel verkommt, ist bei uns wenig reflektiert worden. Nach der Öffnung habe ich mir das entsprechende Angebot natürlich angesehen, und ich muß gestehen, daß es mich schon angemacht hat, aber doch auch sehr bald schal geworden ist. Nachdem die erste voyeuristische Erregung vorüber war, habe ich die Beziehungslosigkeit und Funktionalität gesehen und vor allem die dargestellte Aggressivität und Leistungshaltung in den Bums-Akten. Das äußere Ambiente wird aufgegeilt, die Beziehungsseiten dagegen hart, brutal und cool dargestellt oder hysterisiert. Sex muß kräftig und heftig sein, es muß viel und vielseitig sein, die Technik wird in den Mittelpunkt gerückt. Die liebevolle, sanfte und herzliche Seite der Sexualität wird ebenso ausgeblendet wie das Konflikthafte und Problematische, das zu jeder sexuellen Beziehung dazugehört. Kurz: mehr Schein als Sein – wie so oft im Westen.

Für uns Ostdeutsche hat dies eine gewisse Tragik, weil wir wieder nicht zu einer echten, offenen Sexualität kommen. Wir hatten in der Vergangenheit große Probleme mit der Sexualität, vor allem aufgrund unserer emotionalen Blockaden durch den Anpassungs- und Unterordnungsdruck – dieser Gefühlsstau beeinträchtigte zwangsläufig die Lustgefühle. Es fällt uns schwer, uns einfach loszulassen, uns hinzugeben, mal keine Vorsicht walten zu lassen, denn wir sind mißtrauisch und mußten es sein, um im System der Kontrolle und Bespitzelung zu bestehen. Wie soll uns plötzlich im Bett das Fallenlassen gelingen, wenn wir im Alltagsleben permanent auf Beherrschung gedrillt wurden? Je spießiger die Moral, je starrer unsere Gefühlswelt, desto größer das Interesse an aufgemotzter Sexualität – wir werden den Beate-Uhse-Markt also schon konjunkturell beleben! Zur weichen und lustvollen Liebe aber werden wir noch lange nicht kommen, weil so viel Zorn, Enttäuschung, Schmerz und Trauer abzutragen sind.

Moeller: Ich verstehe, was Sie sagen wollen. Doch in Westdeutschland gibt es auch eine weiche, liebevolle Auffassung der Erotik, die genauso verkehrt und falsch ist und bei der sich mir die Haare sträuben. Man kann die Liebe auch auf diese sanfte Weise grausam verstümmeln. Was wir beide meinen, ist doch, daß das wirkliche seelische Erleben und die Bindung aneinander in der Sexualität und Erotik nur noch selten erlebt werden. Im alten China konnte man überhaupt nicht begreifen, wie es einerseits zu Prüderie, andererseits zur Obszönität kommen kann. Denn beides sind zwei Seiten einer Medaille und ein Zeichen für eine schief entwikkelte Erotik. Die Chinesen hatten – lange vor der reglementierenden kommunistischen Herrschaft – dreitausend Jahre länger Zeit als das Abendland, die Triebstruktur der einzelnen und die Gesellschaftsstruktur aufeinander abzustimmen. In alten chinesischen Romanen und Novellen bin ich auf einen geradezu beneidenswert unbefangenen Umgang mit erotischen Empfindungen gestoßen.

Dort haben wirklich weder Prüderie noch Obszönität Platz. Auf uns bezogen finde ich bei den Ostdeutschen eher die unterdrückte, depressive Seite, bei uns dagegen die hysterische Seite der Erotik, in der es zur Pseudohypersexualität kommen kann.

Ich glaube, in Westdeutschland machen sich die meisten Menschen etwas vor – so erlebe jedenfalls ich die Paare, die zu mir kommen. Sie haben zunächst den Eindruck, sie könnten ja alles machen, was sie wollten. Es sei alles erlaubt und alles da. Tatsächlich ist nur der Freiraum da, aber sie können ihn nicht füllen. Es gibt zum Beispiel kaum noch Reglementierungen. Aber die Möglichkeit der Freiheit kann gar nicht ergriffen werden. In der üblichen Alltagsstruktur haben die meisten Menschen nämlich für die Liebe keine Zeit mehr. Ich mache zum Beispiel mit meinen Studenten im ersten Semester Medizin regelmäßig eine Umfrage zum persönlichen Zeitbudget. Wieviel Zeit, wird da erhoben, bleibt für das, was im Leben wirklich wesentlich ist. Das Ergebnis lautet: Nach Arbeit, Pendelzeit, Freizeit, Haushalt und allen möglichen Zwischenzeiten wie Aufstehen, Frühstücken etc. haben sie praktisch keine Zeit mehr für Beziehungen und sich selbst.

Der durchschnittliche Westdeutsche verbringt täglich fünf Stunden mit Massenmedien. Das muß man sich konkret vorstellen: Allein mit den acht Stunden Arbeit, mit der durchschnittlichen einen Stunde Pendelzeit macht das schon vierzehn Stunden. Da fehlen noch Einkaufen, Sichankleiden, Kino usw. In meinen Augen ist eine Grundvoraussetzung für die Liebe, ihr genügend Zeit einzuräumen. – Es sieht so aus, als ob nicht einmal das bei uns möglich ist.

Maaz: Bei uns ist das Ergebnis ähnlich, nur mit anderen Inhalten. Das geringe Zeitbudget gehörte bisher nicht zu unseren Problemen, aber die psychologische Folge des inneren Mangels, das wechselseitige Sichmißbrauchen in der Beziehung, das gab es häufiger. Liebe im freilassenden Sinne – daß dafür gesorgt wird, daß es dem Partner oder der Partnerin gutgeht – kenne ich so gut wie gar nicht. Was hier als Liebe verstanden wurde, bedeutete meist: «Ich brauche dich, sei wenigstens du für mich da, mach du mich glücklich – mach du mir den Orgasmus!» Vom Partner oder der Partnerin wird in erster Linie erwartet, daß er oder sie das bringt, was die Eltern nicht gegeben haben, daß einer vom anderen entschädigt und aus seiner Not erlöst wird. Das kann aber auf die Dauer nicht gutgehen, weil kein Partner diese Ansprüche einer kindlichen Bedürftigkeit erfüllen kann. Deswegen liegt hier eine der häufigsten Ursachen für Partnerschaftskrisen bei uns.

Moeller: Zumal es um ein wechselseitig verursachtes Problem geht.

Maaz: Das ist das Hauptproblem. Praktisch sind beide – Mann und Frau – davon betroffen.

Moeller: Dasselbe Problem haben wir auch im Westen. Es ist eigentlich deckungsgleich, nur zeigt es sich anders. Die seelische Entwicklung in der frühen Kindheit ist heute so gestört, daß Mann und Frau die innere Auseinandersetzung mit der enttäuschenden, der selber enttäuschten und belasteten Mutter als Mitgift in die Beziehung einbringen. Das Leiden der heutigen Paare liegt in der wechselseitigen Übertragung der negativen Mutter begründet. Am Anfang der Beziehung steht die riesige Erwartung, der Partner sollte das ergänzen, was einem schon immer fehlte. Dieser aber erwartet eben dieses auch. Dann beginnen die bekannten Duelle, wer am meisten Zuwendung braucht und am bedürftigsten ist. Nach und nach entfaltet sich auf diese Weise wieder die «negative Mutter» aus der Kinderzeit. Ich glaube, daß dies in beiden deutschen Staaten identisch war.

Maaz: Bei uns spielte aber noch etwas anderes eine Rolle, das ich als «Notgemeinschaft» bezeichnen möchte. In einer Partnerschaft war man froh, einen Zusammenhalt zu haben, um gemeinsam die Belastungen, das Verlogene und Beschissene des DDR-Systems auszuhalten. Frühe Ehen hatten häufig dieses Motiv und darüber hinaus, endlich den Eltern zu entkommen. Die inneren Spannungen, die aus der eigenen Lebensgeschichte oder aus den menschenfeindlichen Strukturen des gesellschaftlichen Lebens herrührten, haben dann die Partner oder Kinder abbekommen. Was man den ganzen Tag oder sein ganzes Leben lang aufgestaut hatte, ließ man zu

Hause ab, reagierte es in der Partnerschaft ab. Ein kleines Ärgernis wie die berühmte Fliege an der Wand war deshalb oft Anlaß, in die Luft zu gehen. Die Familie als Abfluß für den Gefühlsstau ist in meinen Augen eine bittere und tragische Entartung der Beziehungen. Aber sie hat geholfen, das System zu stabilisieren, denn auf diese Weise blieben die Mächtigen von den Affekten der Menschen verschont.

Moeller: Hier liegt wirklich ein Unterschied zur Situation im Westen. Daß der Partner gegen den eigenen Willen zum Stellvertreter des Regimes wird, daß man ihn deswegen haßt, ihn zugleich aber auch braucht, leuchtet mir als Paaranalytiker sehr ein. Es entsteht eine Art wechselseitiger Haßbindung. Im Westen ist das zentrale Problem dagegen nicht so sehr, daß die Partner übereinander herfallen, obwohl es natürlich auch vorkommt, daß man für den Frust und die Enttäuschung, mit der man nicht fertig geworden ist, den anderen schuldig spricht. Doch das ist nicht das Primäre. Für mich steht das Leersein statt der Unterdrückung im Vordergrund. Der Partner ist nicht da, er ist nicht richtig greifbar, man hat sich über die Beziehung lange Zeit Illusionen gemacht. Es gibt Ehen, die laufen im Gegensatz zu Ihrer Schilderung über Jahre und Jahrzehnte völlig reibungslos, bis die Partner langsam entdecken, daß sie gar nicht mehr miteinander, sondern nebeneinander leben. Dieses reibungslose, oft gut funktionierende Nebeneinander sehe ich als die Hauptbeziehungsform des Westens an. Wobei ich noch hinzufügen möchte, daß diejenigen, die zu mir in die psychoanalytische Praxis kommen, nicht die kränksten sind, wie ich ursprünglich dachte. Vielmehr sind diese Paare gerade diejenigen, die den Mut haben, sich selber und ihre Beziehung zur Diskussion zu stellen, die also noch ein Beziehungsbedürfnis haben und dieses Beziehungsbedürfnis befriedigen möchten – notfalls über den Weg der Therapie.

Ich möchte aber noch einmal auf die Liebe und Sexualität zurückkommen: Im Osten konnten diese angesichts der Unterdrükkung nicht aufblühen, im Westen werden sie dagegen entleert. Das Sichfinden, das Sich-selber-Finden und das Den-anderen-Finden wird unterlaufen durch das doppelte Verlangen nach Anerkennung durch Leistung und nach Konsum. Die seelische Entleerung verstärkt sich durch eine Lebensgeschichte, in der die Eltern unter anderem aus diesen beiden Gründen selber für die Kinder zu wenig da waren. Das Resultat ist diese merkwürdige deutsche Beziehungsschwäche.

Eine Ursache dafür ist in meinen Augen auch der seelische Immobilismus, von dem Alexander und Margarethe Mitscherlich in ihrem Buch «Die Unfähigkeit zu trauern» vor dem Hintergrund einer unbewältigten Vergangenheit in Deutschland sprechen. Ost- und Westdeutschland haben ja eine gemeinsame Geschichte, und ich frage mich immer wieder, ob das, was wir jetzt sehen, nicht zu ganz wesentlichen Teilen Ergebnis einer ungeheuren Verdrängungsleistung ist – die Verdrängung jener brutalen Destruktivität in uns, die sich in der Nazizeit gezeigt hat. Im Grunde haben wir im Westen wie im Osten dieses Thema nicht richtig aufgearbeitet, weil wir es aufeinander projizieren konnten, und diese unverarbeitete Geschichte liegt bis heute irgendwo in uns.

Maaz: Noch einmal zurück zum Thema Sexualität. Ich war einigermaßen erstaunt, als ich mitbekam, daß viele aus der jüngeren Generation bei uns – die also in der DDR aufgewachsen sind – immer noch unter den klassischen sexuellen Entwicklungsproblemen litten: Schuldgefühle aufgrund von Onanie, Menstruationsängste und -abscheu, überhaupt Scham und Schwierigkeiten, mit den Eltern über Erotik und Sexualität ehrlich sprechen zu können. Die jungen Leute waren offenbar immer noch Opfer einer angstmachenden und lustfeindlichen Erziehung, die ihnen beizubringen suchte, daß Sex etwas Schmutziges und Gefährliches sei und daß man sich nicht zu früh darauf einlassen solle. Sie zeigten eine strenge Treuemoral und viel Eifersucht, während sie eine Ermutigung zum lustvollen Gebrauch der Sexualität nie erfahren hatten. Ist das im Westen inzwischen anders?

Moeller: Ich denke, in der ersten Generation, die nach dem Krieg geboren wurde, stößt man auf ähnliche Probleme und Verhaltensweisen, in der zweiten schon nicht mehr. Die Studentenrevolte im Jahre 1968 war bei uns sowohl Symptom als auch Motor einer erotischen Emanzipation. Ein zweiter Faktor ist die Frauenemanzipation, die in gewisser Weise schon während des Krieges durch das Soldatenmatriarchat, also durch die zu Hause allein auf sich gestellten Frauen in Gang gesetzt wurde. Diese Situation bewirkte eine sehr viel stärkere Beeinflussung der heranwachsenden Söhne durch die Mutter – ich bin selbst ein Beispiel dafür – und zugleich ein stärkeres Selbstbewußtsein der Frauen. Damals kam es deshalb in Deutschland zum sogenannten «Fräuleinwunder», dem Vorzeichen der weiblichen Emanzipation, also zu einer vollkommen unerwarteten erotischen Blüte. Statt der streng und zu Verzicht erzogenen Deutschen, die als zurückhaltend und beinahe stumpfsinnig galten und am ehesten eine anale Struktur aufwiesen, traf man in Westdeutschland plötzlich auf junge Frauen, die eher wie Französinnen, wie Pariserinnen wirkten. Diese Welt der erstarkenden und sich selbst bewußter werdenden Weiblichkeit, die meiner Auffassung nach nicht nur eine Folge des Wirtschaftswunders war, war im Innern allerdings gebrochen, denn sie beruhte auf der Identifikation mit der selber enttäuschten Mutter. Die Mutter war ja nicht die fröhliche Frau, die plötzlich alleine schaltete und waltete, sondern sie war eigentlich überlastet.

Ein dritter Faktor ist der Unisex. Die langen Haare der Männer, die während der Studentenrevolte aufkamen, wirkten auf den ersten Blick wie eine Feminisierung der Männer. Einige begrüßten dies als eine neugewonnene Fähigkeit und Freiheit, den weiblichen Anteil in sich selbst zu entdecken und zu leben. Wichtiger ist in meinen Augen jedoch das «Männermatriarchat» *, das heißt die Identifikation der Söhne mit ihrer Mutter. Der Unisex ist das beinahe zwangsläufige Ergebnis einer seelischen Entwicklung, in der die Kinder nur noch *eine* Identifikationsfigur haben – die Mutter, die selbst sehr belastet ist, während sich der Vater mehr oder weniger verflüchtigt hat. Der Unisex ist insofern auch der erste Vorbote der Beziehungslosigkeit. Wenn die Mutter nun ebenfalls mehr und

* Vgl. Michael Lukas Moeller: Männermatriarchat. Nachwort zu Barbara Franck, Mütter und Söhne, Hamburg 1981.

mehr berufstätig wird, fällt sie für die Kinder als Bezugsperson auch noch aus – die Folge ist eine «elternlose Gesellschaft». Schon heute befindet sich die Mutter in einem extremen Rollenkonflikt: Sie soll den Haushalt führen, für die Kinder dasein, einen Beruf ausüben sowie Partnerin und nach Möglichkeit noch Geliebte des Mannes sein.* Das ist einfach zuviel. So sieht meines Erachtens im Augenblick die nicht einfache Lage im Westen aus.

Maaz: Ich finde, was Sie sagen, hochinteressant, denn ich erlebe unsere Gesellschaft ebenfalls als schwer «muttergestört». Meiner Auffassung nach hatten die großen Institutionen in unserem System – *die* Partei, *die* beinahe liebevoll «Stasi» genannte Überwachungsbehörde, *die* Kirche, *die* Medizin (*die* Helferberufe überhaupt) – vor allem Ersatzfunktionen für das Versagen der Mutter zu leisten. Diese Institutionen konnten ihre jeweils unterschiedliche Klientel in erster Linie dadurch erfolgreich an sich binden, daß sie erklärten: «Komm zu uns, wir brauchen dich, du bist uns wichtig, wir helfen dir, wir fördern dich, wir beschützen dich, wir geben dir Sinn.» Damit haben sie genau die Wunden der unerfüllten Sehnsucht nach mütterlicher Zuwendung, Annahme und Bestätigung berührt. Darin sehe ich das wesentliche Wirkungsprinzip für diese abnorme Gesellschaft.

Die Problematik der defekten Mutterbeziehungen beginnt in der Regel bereits mit dem traumatischen Trennungserlebnis bei der Geburt und wird durch das Krippen-Unwesen verstärkt. Unsere Emanzipationspolitik sehe ich als eine tragische Fehlentwicklung, und zwar nicht nur die propagandistische Haltung der SED dazu, sondern mehr noch, daß viele Frauen ihre innersten Gefühle und den Wunsch nach einer intensiven Beziehung zum Kind im Kampf um Berufstätigkeit und Gleichstellung mit den Männern verleugneten. Nicht daß ich die Gleichwertigkeit der Geschlechter in Frage stellen möchte, aber diese kann doch nicht Gleich*artigkeit* bedeuten. Diese Art von Emanzipation sehe ich als eine traurige Kompensation für nichterfüllte Weiblichkeit und Mütterlichkeit. Die wich-

* Vgl. Michael Lukas Moeller: «Das Schweigen des Vaters im Körper der Mutter», in: «Die Liebe ist das Kind der Freiheit», Reinbek 1986 und 1990.

tige und positive Bedeutung von «Mutterschaft» wird in den Emanzipationskämpfen verleugnet oder als ultrakonservativ abgewertet. «Mütterlichkeit» ist offenbar bei beiden Geschlechtern mit enormer Angst besetzt. Die ewige Suche nach der «guten Mutter» bestimmt deshalb in vielerlei Hinsicht unser Leben – und jetzt soll die D-Mark uns das bringen, was die Mütter versagt haben.

Moeller: Genau.

Maaz: Daß wir so nach der D-Mark gegiert haben, daß wir den Westen so unkritisch und ungeprüft angenommen und herbeigewählt haben, halte ich für einen Ausdruck dieser unerfüllten Muttersehnsucht. Da die «emotionale Versorgung» so schwach war und der äußere Mangel noch hinzukam, sehe ich die große Gefahr, daß wir nun nur noch nach außen agieren. Und ich fürchte die Enttäuschung, die kommen wird, wenn die Menschen merken, daß die schnelle Vereinigung Deutschlands nicht das Glück bringt, das ihnen versprochen wurde – nämlich äußeren Wohlstand –, und vor allem nicht das, was sie *unbewußt* erhofften: die Befriedigung ihrer seelischen Defizite.

Moeller: Diese Enttäuschung wird meines Erachtens *nicht* kommen, weil Geld und Konsum so betäubend sind und weil sie innerlich ausdrücklich verlangt werden, um von sich selbst abzulenken. Sie werden als Glück erlebt, als Pseudoglück. Ich habe gestern in dem Band «Die Deutsche Neurose» geblättert*, in dem mir das Ergebnis einer Befragung des Demoskopischen Institutes Allensbach aufgefallen ist. Es ging um die Frage, ob die Westdeutschen sich glücklich fühlen oder nicht. Dabei wurde deutlich, daß sich zwischen 1956 und 1976 die Mehrheit der Bevölkerung immer glücklicher fühlte; am Ende gaben drei Viertel der Bevölkerung an, zur Gruppe der Menschen zu gehören, die sich glücklich fühlen. Das kann doch nicht wahr sein, habe ich mir gesagt. Das ist doch kaum zu fassen. Durch unser Gespräch sehe ich das jetzt mit anderen Augen. Das große Angebot auf dem Konsum- und Freizeit-

* A. Peisl/A. Mohler (Hg.): Die Deutsche Neurose: Über die beschädigte Identität der Deutschen, Frankfurt/M. 1980, S. 28.

markt ist eine fröhlich-betäubende Ablenkung vom eigenen beschädigten Selbst – und wird tatsächlich als Glück empfunden.

Maaz: Wahrscheinlich hat der «real existierende Sozialismus» auch deshalb versagt und ist die «real existierende Marktwirtschaft» so siegreich, weil die Satisfaktion der inneren Unzufriedenheit durch die D-Mark wesentlich erfolgreicher ist als durch Orden und ideologische Bestätigung.

Moeller: Der Sozialismus versuchte, das Problem mit der unglücklichen, gleichsam antiquierten Methode der Unfreiheit und Reglementierung zu lösen – daran ist er gescheitert.

Maaz: Wenn Sie sagen, daß die Enttäuschung vermutlich nicht kommen wird, dann wächst meine Angst, und mir graut bei der Vorstellung, wie sich das verstärkte innere Elend nach außen ausagieren muß – zum Beispiel durch kriegerische Akte. Ich kann mir allerdings nicht vorstellen, daß es gelingt, ein anderes, fremdes System, das sich in 40 Jahren mit allen Fehlern, Konflikten und Protesten mühsam ausgeformt hat, das in den Menschen über mehrere Generationen hinweg entscheidende innere Prozesse ausgelöst hat, daß ein solches System schnell oder womöglich reibungslos übertragen werden kann. Jetzt werden uns Demokratie und Marktwirtschaft verordnet, und wir versuchen uns wie eh und je gefügig anzupassen. Selbst wenn uns das gelingen sollte, haben wir nur die soziale Maske gewechselt und sind weder psychisch noch politisch von innen her reifer geworden; Demokratie muß jedoch letztendlich in den Seelen der Menschen wurzeln. Das soziale Tief und die psychosoziale Krise stehen uns noch bevor und müssen zwangsläufig eine große Enttäuschung auslösen, aber sie werden vermutlich nicht als ein inneres Problem begriffen und aufgearbeitet, sondern irgendwelchen sachlichen Gründen angelastet und entsprechend politisch ausagiert. Ich sehe die große Gefahr einer Radikalisierung – und doch hoffe ich auf die Desillusionierung als Chance zur Besinnung und zur Auseinandersetzung mit sich selbst.

Moeller: Ich halte das für viel zu optimistisch – was wird denn in der Arbeitslosigkeit geschehen? Das erste Vierteljahr, zeigt die Arbeitslosenforschung, kann man vielleicht als eine Erholungspause und eine Chance erleben, zu sich selbst zu kommen. Man kann sich sagen, jetzt habe ich mal Zeit für mich, eine Art Ferien. Dann aber setzt mit enormer innerer Gewalt die Selbstabwertung ein. Die Menschen rutschen in die Depressivität. Was mich dabei todunglücklich macht, ist, daß unter solchen Umständen die Augen für die Entfremdung in der Arbeit nicht geöffnet und die Illusion, das Illusionäre gerade nicht entdeckt werden. In der Arbeitslosigkeit werden die Menschen statt dessen fixiert auf die Frage, wo kriege ich eine Arbeit her, und nichts anderes hat Platz in ihren Köpfen.

Maaz: Statt aufzubegehren gegen dieses Schicksal, entsteht Depressivität.

Moeller: Entsteht Depressivität, und zwar aus dem Gefühl...

Maaz: ...ich habe versagt.

Moeller: Ja. Am Ende entwickelt sich eine psychische Dynamik, in der man sich die Arbeitslosigkeit selber in die Schuhe schiebt, und die Umgebung wirkt daran kräftig mit – zum Beispiel, wenn Konservative immer wieder sagen: «Wer fleißig ist und sich wirklich bemüht, findet schließlich auch Arbeit.» Aber auch die Arbeitslosen sind auf die Funktionalität festgenagelt, denn die Leistungsgesellschaft und die Konsumgesellschaft, also Leistung und Konsum, sind ja nur zwei Seiten einer Medaille. In der Konsumgesellschaft, heißt es, würden die Menschen passiv und nur noch etwas in sich hineinsaugen. Auf der anderen Seite müssen sie aber als Nation für diese Konsumprodukte auch sorgen und sie durch Leistung erst einmal erwirtschaften. Das eine wie das andere stellt eine große Ablenkung von sich selbst dar.

Maaz: Es tut mir richtig gut, von einem Westmenschen auch einmal diese kritische Seite zu hören, denn die wird uns meist vorenthalten beziehungsweise durch den rosaroten Anstrich der Reklamewelt übertüncht. Ich frage mich nur – jetzt muß ich Ihnen einen Vorwurf machen –, wo Menschen Ihres Schlages eigentlich in diesem Vereinigungsprozeß gewesen sind. Zuerst sind die tönenden Politiker gekommen, die auch unsere «Blockparteien» im Nu reingewaschen haben, um Wähler zu gewinnen. Dann kamen die Autohändler und die Banken, die Versicherungen und die Straßenhändler – also die Geschäftemacher. Wo aber sind die Alternativen, die Aufklärer, die Wissenden geblieben? Wo waren die Aufrichtigen, die auch die menschlich-ehrliche Negativbilanz westlicher Lebensart überzeugend vermittelt hätten? Haben wir diese Stimmen nur abgewehrt und nicht hören wollen, oder waren sie gar nicht erkennbar vorhanden?

Moeller: Wie viele damals habe auch ich während der Ereignisse im Herbst 1989 fassungslos und heulend vor dem Fernseher gesessen. Ich konnte es überhaupt nicht begreifen. Als die Mauer geöffnet wurde, war ich gerade auf dem Psychosomatischen Kongreß in Gießen und entwarf noch in der Nacht eine Grußbotschaft, die ich am nächsten Tag zu Beginn meines Vortrages zur Annahme vorschlug. Ich war der Meinung, daß in einem solchen Moment die seelische oder geistige Umarmung wirklich am Platze war. Ich war tief ergriffen, denn für mich persönlich hatte sich eine Heimat wiederhergestellt. Ich habe das geteilte Deutschland wirklich wie eine gespaltene Heimat erlebt, vielleicht weil ich mit der einen Hälfte meiner Kindheitsseele aus Schlesien, also aus Ostdeutschland stamme. Ich glaube aber, daß es vielen Menschen so ging. In der ganzen Welt wurde es ja als schmerzlich erlebt, daß Deutschland in zwei Teile zerfiel – in anderen Ländern teilweise noch intensiver als in Deutschland selbst. Ich habe in einer langen Einzelanalyse und Gruppenanalyse während der vielen Jahre meiner Ausbildung zum Psychoanalytiker Zeit gehabt, dieses Schicksal zu bedenken, durchzufühlen, zu reflektieren und zu integrieren. Ich habe es trotzdem kaum fassen können, wie physisch, wie physiologisch, wie körperlich dieses Erleben der Vereinigung bei mir war. Das dauerte eine Zeitlang an, während deren ich richtig in einem Heilungsrausch war. Und in mir ist auch wirklich etwas geheilt. Es muß etwas mit dem Gefühl zu tun gehabt haben, jetzt einer ganzen Nation anzugehören – das habe ich bei mir sehr stark erlebt.

Dann folgte eine Zeit, in der eine schlimme Nachricht nach der anderen von drüben kam. Zunächst war ich sehr enttäuscht, daß drüben der innere Demokratisierungsprozeß nicht mehr weiterging. Ich dachte, um Gottes willen, jetzt rennen sie einfach in den

Westen und vergessen alles, was war. Ich kann es wirklich verstehen, daß man sich die vollen Tüten aus dem Westen holt. Aber mir fehlte bei den Ostdeutschen die Besinnung auf die eigene Entwicklung. Mehr und mehr wollte ich von diesem Ostdeutschland nichts mehr wissen. Hinzu kam das wachsende Elend überall auf den Straßen von Westberlin. Als ich einmal einen Vortrag zu halten hatte, ging ich über den Kurfürstendamm, der mir fast heimatlich vertraut ist, weil ich sechs Jahre in Berlin gelebt habe und auch später noch oft dort war. Berlin ist meine Lieblingsstadt, nun aber hockte alle fünf Meter, an jedem Laternenpfahl, an jeder Ecke ein Bettelnder. Keine Ostdeutschen, aber über Ostdeutschland kamen Rumänen, Zigeuner und alle diese armseligen, abgerissenen «Ostmenschen». Welche Schleusen sind da geöffnet worden, habe ich gedacht. Zuerst bin ich noch gebefreudig gewesen, habe jedem etwas gegeben, dann aber, nach dem zehnten, kam es mir vollkommen sinnlos vor. Plötzlich wurde das reiche Deutschland mit der Armut, mit der wirklichen Armut und Unterdrückung konfrontiert.

Der dritte Eindruck war diese furchtbare Umweltsituation in Ostdeutschland. Ich hatte das Gefühl – und zum Teil geht es mir noch heute so –, ich kann hier gar nicht richtig durchatmen. Hier ist eine Luft, die vollkommen geschwängert ist mit Schornsteinabgasen und Schadstoffen. Ich habe mir einige Zeitlang eine freundliche Wiedervereinigung mit den östlichen Landschaften und ihren Menschen in Form von Wandern vorgestellt. Ich wandere gerne verloren für mich in der Natur ohne Campingplatz. Dann dämmerte mir: Vielleicht kann ich das gar nicht. Alles scheint verschmutzt. Die Böden sind verdreckt. Die Landschaft wirkt geradezu vergiftet. Ich dachte auch, wie furchtbar muß es für die Ostdeutschen sein, das alles bei sich selber zu entdecken, was Sie mir beispielsweise mit dem schadstoffbelasteten Gemüse in Halle erzählt haben – zumal ich so gerne frische Sachen esse. Es entstand in mir eine große Reserviertheit dem Osten gegenüber.

Schließlich traf ich einen Organisator aus der Selbsthilfebewegung im Westen, die ich mitentwickelt habe. Er schlug mir vor: «Du, wir machen in Dresden was und in Leipzig – willst du da nicht mitmachen?» Drei Termine waren schon verabredet, alle kurzfristig und schnell. Doch ich konnte nicht, weil ich jedesmal schon seit langem nicht absagbare Termine hatte. Nehme ich dieses Ereignis als Symbol, dann heißt das: Ich als Westmensch bin so in meine eigene Welt eingebunden, daß ich gar keine Zeit mehr habe, einfach in den Osten zu gehen. Zudem wurde ich auch nicht offiziell eingeladen, ich wußte also gar nicht, ob ich überhaupt genehm bin – ich denke zum Beispiel an die erwähnten Worte der Frau aus der Selbsthilfegruppe Dresden: Ich frage mich: Wie sehr wünschen denn die Menschen im Osten überhaupt die menschliche Vereinigung? Deswegen empfinde ich unsere Zwiegespräche schon als einen großen Schritt nach vorn – wir können uns nahekommen, und meine Seele hat auch schon wieder einige Ruhe, weil wir vielleicht einen Beitrag leisten können zu einer menschlichen Vereinigung.

Maaz: Ich höre das mit großem Interesse. Ich empfand nämlich ebenfalls eine Art «Heilungsrausch» mit kathartischen Qualitäten – allerdings mehr auf der Straße, im Miteinander des Protestes, also inmitten der «Wende» bei uns. Ich begreife den ganzen Prozeß der Demonstrationen in dieser Zeit nicht als ein überlegtes, zielgerichtetes politisches Handeln, sondern vor allem als affektive Verbundenheit, als rauschartige Solidarität und als Aufatmen unserer verborgenen Sehnsüchte nach Expansion. Das Gebeugte konnte sich aufrichten, das Angestaute fand ein Ventil und konnte sich abreagieren. Die Nacht der Maueröffnung hat in mir demgegenüber eher Zweifel und Mißtrauen ausgelöst. Ich konnte es nicht glauben – so sehr hatte ich diese Grenze als unumstößlich verinnerlicht, obwohl ich als Therapeut ja ständig an der Erweiterung menschlicher Grenzen arbeite. Aber die Bilder von damals lösen bei mir noch heute Tränen und Schluchzen aus. Ich empfinde eine schmerzliche Genugtuung über etwas, das ich nie für möglich gehalten, aber doch so sehr ersehnt hatte. Tief im Innersten muß mich die Grenze sehr verletzt haben, eine große Ungerechtigkeit – und jetzt schien endlich Gerechtigkeit zu werden.

Wenn Sie davon sprechen, wie Sie dann allmählich die Nase voll hatten von den Ossis, empfinde ich auch den Wessis gegenüber so etwas Ähnliches, und ich bemerke solche abwehrenden bis feindseligen Reaktionen heute häufiger, und zwar auf beiden Seiten. Mir ist alles zuviel, was jetzt auf uns einströmt: die vielen Angebote und Möglichkeiten, aber auch daß wir Auskunft geben sollen und uns genötigt sehen, uns zu rechtfertigen. Wir sollen uns am liebsten gleich zweimal entschuldigen – bei den Konservativen für unsere kommunistische Vergangenheit und bei den Linken für unsere mißlungene Revolution. Manchmal habe ich das Gefühl, ich komme aus einer Zeit des Fastens und Schweigens auf einen Rummelplatz. Weil ich so schlecht ablehnen kann, was so verlockend angeboten wird, «überfresse» ich mich und gerate aus meiner Mitte, werde fast krank daran. Ich habe das Gefühl, mir wird meine ganze Identität geraubt und zunichte gemacht. Und ich gehörte wahrlich nicht zu denen, die am alten System hingen, sondern lebte auf Distanz zu diesem Staat. Aber ich habe viel und mühsam gearbeitet, um meinen Platz zu finden – und dieser wird mir nun streitig gemacht.

Ich muß heute Verhältnisse akzeptieren, an denen ich nichts mitgestaltet habe, und wenn ich mitgestalten will, werde ich von anderen belehrt, die schon wieder alles besser wissen. Ich mache auf Schritt und Tritt Fehler, ich weiß nicht mehr Bescheid, mir fehlen die gewohnten Orientierungen, alles Bisherige gilt nicht mehr oder ist entwertet. Dabei geht es mir in meinem Beruf noch ganz gut, denn wer jetzt arbeitslos ist und völlig umlernen muß, für den ist es noch schlimmer. Dieser entwürdigende Prozeß hat mehr mit Psychologie zu tun als mit sogenannten Sachzwängen oder Altlasten, die immer wieder angeführt werden. Wir sind die besiegten neuen Untertanen, denen abgesprochen wird, daß sie selbstverantwortlich und kritisch ihre Verhältnisse in Ordnung bringen könnten und dabei um *die* Hilfe bitten, die sie wirklich brauchen. Die Wessis befinden sich in einem Überlegenheitsrausch, mit dem sie vor allem ihre eigenen seelischen Probleme abwehren können. Der Vereinigungsprozeß wird ausschließlich nach Geld bemessen und gewogen, doch auf die Verletzungen der Seele wird keine Rücksicht genommen, oder diese sollen – wie es westliche Art ist – mit Geld «geheilt» werden.

Moeller: Also eine neue Form von Entmündigung. Mir fällt dabei auf, daß wir den Wiedervereinigungsrausch im wesentlichen mit unseresgleichen erlebten. Wir im Westen haben uns umarmt, und ihr im Osten habt euch umarmt. Doch wie wenige West-Ost-Umarmungen gab es im Vergleich dazu?

Maaz: Selbstverständlich hat es die gegeben, vor allem in Berlin. Aber dies waren natürlich nicht die Millionen, die sich jetzt vereinen sollen.

Moeller: Es ist ja auch viel bequemer und einfacher, die Ganzheit mit seinesgleichen zu fühlen, mit *ihnen* zu weinen, zu lachen usw. Natürlich wäre man auch auf die Menschen im anderen Teil Deutschlands zugegangen – aber wäre dann nicht sehr schnell die vierzig bis fünfzig Jahre währende Entfremdung deutlich geworden? Die ganze Unterschiedlichkeit der Entwicklung? Diese Distanz zu überbrücken, haben wir überhaupt nicht versucht. Eine wirkliche, menschliche Wiedervereinigung gab es selbst in dieser rauschhaften ersten Nacht nicht. Die Ostdeutschen sind aber auch schon rein zahlenmäßig in der schlechteren Position. Für die Westdeutschen bedeutet die Wiedervereinigung, daß zu ihren 60 Millionen 16 hinzukommen – für die Ostdeutschen ist es genau umgekehrt. Das ist eine ganz andere Masse und deswegen auch ein ganz anderer Integrationsprozeß auf beiden Seiten. Und weil der Osten jetzt auch noch das Westsystem übernimmt, muß von dieser enormen seelischen Veränderungsarbeit der allergrößte Anteil vom Osten geleistet werden. Allein das kann schon Neid und Wut verursachen.

Ein anderes Stichwort lautet für mich: «Identität verlieren». Bei einigen Menschen im Westen besteht immer noch die Hoffnung, der Osten könne uns etwas bieten, wir könnten selber etwas lernen vom Osten. Ich denke zum Beispiel, daß ich mich als Westdeutscher deutlicher wahrnehmen kann, wenn ich mich auf die Ostdeutschen einlasse. Ich sehe mich plötzlich viel konturierter, wenn ich im Zwiegespräch vergleiche: Wer bin ich, und wer sind die anderen? Weil ich beide Seiten zugleich wahrzunehmen versuche, gewinne ich ein deutlicheres Gefühl für meine eigene Identität. Auch meine prekären Seiten werden in dieser Begegnung faßbar. Der Prozeß der

Wiedervereinigung entspricht also einer wechselseitigen Identitätsbildung. Verglichen mit dem Osten, muß ich aber viel weniger leisten: Ich bleibe in meinem Beruf ungeschoren, ich bleibe in meinem Ambiente ungeschoren, für mich und für die Westdeutschen bleibt eigentlich alles, wie es ist. Wir werden höchstens noch ein bißchen reicher.

Maaz: Ich finde zutiefst ungerecht, daß es jetzt ganz selbstverständlich erscheint, nur wir hätten uns zu verändern. Wir müßten nur rasch lernen, Westler zu werden. Es wird überhaupt nicht mehr diskutiert oder für möglich gehalten, daß aus dem Zusammenwachsen für *beide* Seiten etwas Neues entsteht. Wir werden einfach angegliedert und müssen die westliche Lebensart übernehmen, auf Inhalte und Tempo haben wir kaum noch Einfluß. Und auf die blöde Frage, was wir denn zu bieten hätten, kann ich nur sagen: Na uns, uns Menschen mit unseren Erfahrungen, unserer Würde, mit unseren Anpassungsleistungen, sogar mit unserer Schuld. Das ist das Entscheidende, denn sonst wird die Frage, was wir einzubringen hätten, ja leider meist materiell verstanden – ganz der neuen Zeit entsprechend.

Moeller: Natürlich sollten wir auch nicht unterschlagen, was der Osten durch die Vereinigung gewonnen hat. Neben dem Opium des Konsums gibt es ja auch ganz faktische Alltagsentlastungen; man hat endlich die Dinge, die man wirklich braucht. Kritiker könnten uns sonst sagen: «Die beiden übersehen völlig, daß hier ein neues Leben ermöglicht wird.» Auf einer ganz einfachen Basis werden einem doch Dinge geboten, die man schlicht nötig hat oder die man gerne hätte. Und man freut sich daran.

Maaz: Die wirkliche Freude daran, die Faszination des Neuen war für mich von kurzer Dauer. Demgegenüber belastet mich der Alltag mit seinen zahlreichen Sorgen und Problemen, mit der ständigen Nötigung zur Veränderung inzwischen sehr. Ich spüre immer wieder einen inneren Widerstand, will Notwendiges einfach nicht erledigen und empfinde Widerwillen gegenüber der schnellen Umstellung, weil ich sie irgendwie würdelos finde. Ich habe es weder nötig, mich als «Wendehals» in Szene zu setzen, noch mag ich mich den neuen Verhältnissen andienen. Ich erlebe statt dessen im Augenblick einen Verlust an mühsam erworbener Selbstbestimmung, die mir im stalinistischen System gelungen war und auf die ich auch stolz bin. Jetzt kommen irgendwelche Bürokraten oder Manager, die mich erneut fremdbestimmen wollen.

Es ist mir auch eine Last, daß ich jetzt auf allen Gebieten aus so vielen Angeboten wählen und mich permanent entscheiden muß. Das kann ich nicht mit Genuß tun oder auch nicht als Gewinn empfinden, wenn ich daran denke, wieviel Zeit ich sinnlos vergeuden soll, um herauszufinden, welche Versicherung zum Beispiel nötig und günstiger als eine andere sein könnte. Überhaupt halte ich den Wettbewerb der unzähligen Angebote mit ihren unterschiedlichen Vor- und Nachteilen für eine «Beschäftigungstherapie» und Sinnentleerung. Ich fühle mich aus dem Mangel in die Fülle gestoßen wie aus der Dunkelheit ins grelle Licht, das nun schmerzt und blendet. Beides finde ich nicht gut. Ich wünschte mir ein angenehmes, warmes Licht – letztlich also Veränderungen auf beiden Seiten!

Moeller: Das sehe ich ein, obwohl ich auch wieder versucht bin, zu sagen, na ja, das ist ein Übergangsstadium. Ich muß mir aber klarmachen, daß es nicht nur ein Übergangsphänomen ist, sondern gleichzeitig ein zentrales Gefühl angesichts des westlichen Überflusses. Mir fällt ein Satz ein von Pier Paolo Pasolini, Dichter und Filmemacher aus Italien, der sagte: «Es ist klar, daß überflüssige Güter das Leben selbst überflüssig machen.» Ich habe mich lange in diesen Satz vertiefen müssen, bis ich ihn verstanden hatte. Unter Umständen geschieht so etwas hier ganz unversehens. Die verwirrende Vielfalt ist ein Phänomen, mit dem sich auch die Westdeutschen auseinanderzusetzen haben – bis hin in unseren Beruf. Es gibt ja 300 unterschiedliche Psychotherapierichtungen – wie soll sich da ein Laie überhaupt durchfinden? Da hilft ihm nur die Reglementierung. Bestimmte Richtungen sind kassenfähig, sie sitzen sozusagen an den Geldquellen, sind mehr oder weniger überprüft. Vielen Menschen ist aber noch nicht einmal klar, daß Psychotherapie überhaupt von den Krankenkassen bezahlt wird. Es müßte beinahe einen neuen Beruf geben, einen Psychotherapieberater, der mit den betroffenen Menschen spricht und ihnen sagt, welche von den 300 Psychotherapierichtungen für sie jeweils die besten sind. Man muß also überall erst einmal – das ist den Menschen im Westen einigermaßen klar – Hilfen bekommen, um überhaupt zu wissen, *was* man wählt. Wenn ich Waschmittel aussuchen soll, frage ich mich genauso, welches ich nehmen soll. Da gibt es aber die Verbraucherberatung und Tests, die einem Hilfestellung leisten können – etwa wenn man sich ein Auto kauft. Oder unabhängige Organisationen geben Hinweise, wie etwa die Weltgesundheitsorganisation, die nur einen kleinen Bruchteil der zigtausend Medikamente für nötig hält. Aber die Hoffnung, man bekäme eines Tages mit diesen Hilfen Klarheit, ist trügerisch, weil man trotzdem immer mitten im verwirrenden Überfluß drinsitzt.

Ich sehe das auch in meiner eigenen Partnerschaft. Wenn wir uns einen gemütlichen Abend machen wollen und ein bißchen erschöpft sind, gehen wir zusammen ins Kino, haben einen schönen Abend gehabt, einen spannenden Film gesehen – und sind uns selbst aus dem Weg gegangen.

Maaz: Ich will noch einmal auf den Gedanken zurückkommen, daß *wir* das System sind, das verloren hat, und daß wir auch zahlenmäßig unterlegen sind. Politisch und wirtschaftlich sind wir Verlierer, Gescheiterte. Jetzt können wir das westliche System übernehmen, was manche als großes Geschenk empfinden, andere als Belastung. Ich denke dabei nicht an die ehemaligen Nutznießer unseres Systems. Denen gegenüber kann ich eine gewisse Schadenfreude nicht verhehlen. Ich bin sogar der Überzeugung, daß ihre Bestrafung durchaus notwendig und gerechtfertigt ist. Aber selbst wenn wir davon ausgehen, daß das westliche System das bessere ist, heißt das ja noch lange nicht, daß es schon das beste sei. Psychodynamisch betrachtet übernehmen wir jetzt etwas, ohne darin selber gereift zu sein. Das aber bekräftigt nur unsere alten Verbiegungen und das Untertanensyndrom. Der Stalinismus war schlimm, aber wir erlebten ihn wenigstens in einem konflikthaften Prozeß, haben an der Entwicklung, an den Krisen und den Fehlern teilgehabt. Aber jetzt geschieht alles abrupt, praktisch von einem Tag zum anderen. Psychisch ist das nicht ohne neue Schädigung zu bewältigen und, wie die Realität uns lehrt, auch politisch und wirtschaftlich nicht so leicht, wie sich das manche dachten.

Wenn wir psychisch gesunden wollen, bedarf es eines Prozesses, an dem wir aktiv teilhaben. Wir müssen selber unsere demokratischen Strukturen entwickeln und sie uns nicht überstülpen lassen. Mit der Übernahme des Grundgesetzes allein ist noch lange nichts gewonnen. Selbst wenn das gutgehen sollte, was ich sehr bezweifle, zeigt uns gerade die Erfahrung der DDR, wie auch der Nationalsozialismus trotz antifaschistischer Staatsdoktrin und erheblicher politischer und wirtschaftlicher Veränderungen in den Stalinismus ausgelaufen ist, weil das Problem der faschistischen Charakterstrukturen in keiner Weise bewältigt wurde. Es bleibt also zu befürchten, daß wir auch bei einem möglichen äußeren Erfolg weder politisch noch psychisch reifer und gesünder werden.

Moeller: Ich meine, es reicht nicht, nur die Gesetze zu verändern; auch die alltäglichen Gesetzmäßigkeiten, das ganze Leben müssen sich wandeln.

Maaz: Ich sehe aber keine Lobby, die den gemeinsamen neuen Weg wirklich will. Eine kritische Auseinandersetzung über eine neue Lebensart, eine neue Gesellschaftskonzeption fehlt völlig. Eine solche würde uns nicht nur helfen, daß wir uns nicht erneut als Verlierer fühlen und dabei nur die alten Verletzungen wieder aufreißen, sondern ich halte sie auch deshalb für dringend notwendig, weil der Westen neue Konzepte braucht, um überleben zu können. Wir müssen den dritten Weg gemeinsam finden. Das bedeutet jetzt vor allem Systemkritik am Westen, dem momentanen Sieger über den «real existierenden Sozialismus». Auch der Blick auf unsere Schuld gehört natürlich dazu, aber er darf nicht die Probleme des Westens vergessen machen. Unser Beitritt wird für die Bundesrepublik mit Sicherheit ein schwerverdaulicher Brocken, aber wir sind nur ein Vorbote der Lasten, die sich aus dem Osten und dem Süden auf Deutschland zuwälzen werden.

Moeller: Für mich ist es natürlich überhaupt nicht neu, das westliche System kritisch zu betrachten. Aber ich denke, es gibt im Augenblick wenig Chancen für eine solche Reflexion, weil jetzt die Aufgaben bei der Neuorganisation des Alltags für den Osten und zum Teil auch für den Westen so gewaltig sind, daß kein Mensch darauf einsteigen wird. Die Wahlen waren meiner Meinung nach ein klarer Entschluß dagegen – jeder hatte ja die Möglichkeit, für solche Gruppen oder Parteien zu stimmen, die mehr zur Bedächtigkeit und kritischen Durchleuchtung aufriefen und die auch dafür plädierten, die innere Demokratisierung weiterzutreiben. Die Masse der Leute hat dies jedoch nicht gewollt. Und vielleicht hatten sie sogar recht damit in einer so gewaltigen Umbruchszeit, in der man erst einmal Boden unter den Füßen braucht. Vielleicht kommt ja die Periode noch, in der das, was Sie sich erhoffen, passiert. Wir beide sind ja im Grunde eine Art Vorbote davon und machen das schon in diesen Zwiegesprächen. Und nicht nur wir halten es für wichtig, sondern auch andere. Ich habe nur das Gefühl, daß die Leute im Augenblick – ähnlich wie in der Nachkriegszeit – zunächst die Trümmer und ihr eigenes Überleben vor Augen haben. Das Nachdenken wird später einsetzen.

Die Schmach des verlorenen Lebens

Drittes Zwiegespräch

Über die Proleten-Kultur des Ostens und die Arbeitssüchtigen des Westens – über den Fetischcharakter der D-Mark und das Geld als wirksamstes aller Entfremdungsinstrumente – über die Sehnsucht nach Autoritäten im Osten und den Konservativismus der Nachkriegszeit im Westen – über das neue Sicherheitsbedürfnis im Osten und den Zusammenhang zwischen politischer Einstellung und Persönlichkeitsstruktur im Westen – über Apparatschiks, Gefühlsstau und Fremdenhaß und die West-Ost-Transfusion neuer Autoritäten – über die gebrochene nationale Identität der Deutschen und den inneren Faschismus – über Schuld, Vergebung und die Voraussetzungen für Versöhnung

Moeller: Zu den wichtigsten Werten der westlichen Gesellschaft zählt die Leistung. Welchen seelischen Stellenwert hatte die Arbeit bei euch, welche Grundhaltung nahm man ihr gegenüber ein, und gibt es zwischen dem Berufsleben im Osten und im Westen wesentliche Differenzen?

Maaz: Ich beginne vielleicht bei dem zunehmenden Problem der Arbeitslosigkeit bei uns. Sie ist für viele Menschen eine Tragödie, eine Schmach. Es trifft zwar zu, daß manch einer – wie im Westen – seine Kurzarbeit oder Arbeitslosigkeit noch als eine Art Urlaub versteht, in dem er endlich mal das tun kann, wozu er sonst keine Zeit hatte. Wenn ich mit den Betroffenen aber intensiver darüber spreche, habe ich oft das Gefühl, daß dieses Nicht-Ernstnehmen nur eine Abwehrreaktion ist, um das Entwürdigende und Diffamierende der Situation nicht an sich herankommen zu lassen. Und wenn man länger miteinander spricht, kommen auch Tränen der Verzweiflung und Enttäuschung, denn die meisten schämen sich einfach, ohne Arbeit zu sein.

Arbeit wurde bei uns sehr positiv bewertet. Sie gab Sinn und das Gefühl, etwas wert zu sein. Besonders die Arbeiter in den Betrieben und die Handwerker kannten ihre eigene Bedeutung. Hinzu kam der Arbeitskult, der mit der Ideologie von der Arbeiter- und Bauernmacht zusammenhing. Arbeit wurde heroisiert, eine ganze Kunstrichtung – der «sozialistische Realismus» – lebte davon. Den Arbeitenden wurde suggeriert, daß sie die Privilegierten seien («Alles zum Wohle des Volkes!»). Sie wurden durch Wettbewerbe, Prämien, Urkunden und sonstige Auszeichnungen «geehrt». Und diese Propaganda hatte durchaus Wirkung. Die Mischung aus Lüge, Manipulation und wirklicher Wertschätzung hat jedenfalls vielen einfachen Menschen geholfen, sich von der Misere ihres Alltags mit Hilfe der Arbeit abzulenken. Sie hat zugleich – sosehr ich die Würdigung der Arbeit befürworte – zu einer kleinbürgerlichen Alltagskultur geführt, zu einem für unser System typischen Proleten-Niveau im negativsten Sinne.

Arbeit war bei uns aber auch ein Mittel des Protestes: Man leistete passiven Widerstand durch Schlendrian und Schludrian, durch Gleichgültigkeit und kleine Diebstähle am «Volkseigentum», durch Plaudern und Einkaufen während der Arbeitszeit. Dieser Verlust an Arbeitsproduktivität hat das System ökonomisch letztendlich zu Fall gebracht. Er hatte aber auch äußere Gründe, denn bestimmte Waren gab es einfach nur ganz selten. Zum Beispiel Bananen. Wir werden ja sowieso als «Bananenfresser» bezeichnet, eine Metapher für unsere Geilheit auf Mangelware. Wenn es wirklich mal welche gab, dann waren sie höchstens eine Stunde zu haben, und wer Bananen kaufen wollte, mußte just zu dieser Stunde einkaufen gehen, denn sonst bekam er keine mehr. So verließ mancher einfach seinen Arbeitsplatz und ging einholen, was auch meistens toleriert wurde. Es herrschte einfach eine laxere Einstellung zur Arbeit. Alles wurde nicht so tierisch ernst genommen. Wir hatten zwar eine großtönende Leistungsideologie, aber das Leistungsprinzip wurde nie wirklich durchgesetzt, weil einfach der Anreiz fehlte. Für wen oder was sollte denn gearbeitet werden? Mehrarbeit brachte auch nicht viel mehr Lohn ein, und für mehr Geld war nicht unbedingt mehr zu kaufen. Die innere Distanz zum politischen System hat dann das übrige getan, die Arbeit «gemütlich» anzugehen. Bestraft wurde das auch kaum, jedenfalls nicht wirksam, da Entlassungen nach dem Arbeitsgesetz so gut wie unmöglich waren.

Schwieriger war es für die sogenannten «Geistesarbeiter», deren Arbeitsprodukt nicht so greifbar war und die die Linie der Partei aufzubereiten oder durchzusetzen hatten. Sie gerieten oft in die Mühlen des Interessenkonfliktes zwischen Obrigkeit und Untertanen und mußten sich sehr wohl fragen: Was mache ich da eigentlich, wem dient das?

Moeller: An wen denkst du bei dem Begriff «Geistesarbeiter»?

Maaz: Ich denke vor allem an die Wissenschaftler, Techniker, Lehrer und Künstler, die die marxistisch-leninistische Doktrin auszugestalten hatten – oft genug furchtbar einengend, verlogen oder einfach nur peinlich. So war Kunst vor allem «Staatskunst». Wer etwas anderes wollte, setzte sich der Gefahr der Verfolgung und Ausgrenzung aus. Oder er bekam einfach keine Aufträge mehr und hatte Mühe, wirtschaftlich zu überleben.

Moeller: Und wie war es für diejenigen, die *für* das System waren? Die gab's doch auch, oder nicht?

Maaz: Natürlich gab es die auch. Aus psychotherapeutischer Perspektive waren dies diejenigen Menschen, die der Illusion nachgingen, sie könnten sich durch Leistung und Anstrengung «Liebe» verdienen. Sie waren bestrebt, den Mangel an Zuwendung und Bestätigung über die Leistungsstrecke zu kompensieren – der Leistungssport war bei uns die abnormste Blüte dieser Fehlhaltung. Diese Menschen haben viel gearbeitet und sich für das System abgerackert, um Anerkennung zu bekommen. Faktisch wurde ihre innere Bedürftigkeit ausgebeutet. Das System behauptete zwar, es hätte die Ausbeutung des Menschen durch den Menschen abgeschafft, doch es beutete gerade die Schicht der Funktionäre, Abteilungsleiter und Meister auf psychologische Weise gnadenlos aus.

Aus innerer Not verzehrten sich diese für das System und wurden folgerichtig auch häufiger in der zweiten Lebenshälfte psychosomatisch krank.

Moeller: Ich könnte versuchen, das westdeutsche Bild dagegenzuhalten. Wir gelten zwar als eine fleißige Nation – und daran muß auch etwas sein –, aber in der Einstellung zur Arbeit hat im Westen ein dramatischer Wandel stattgefunden. Viele Untersuchungen zeigen, daß die frühere Auffassung, Beruf und Arbeit seien eine Berufung, die man mit ganzer Seele annimmt, abgelöst wurde durch eine Haltung, die in den ersten beiden Nachkriegsjahrzehnten noch als unmögliche «amerikanische» Auffassung des Berufes galt: die Arbeit als «Job» und nicht mehr als ein und alles. Diese Haltung scheint sich in Westdeutschland mehr und mehr durchzusetzen.

Es könnte sein, daß auch die 68er Revolution, die zwar de facto wenig bewirkt hat, die aber doch als Symptom des Bewußtseinswandels in Deutschland gelten kann, mit ihrer Aufklärungsarbeit, Arbeit sei nur etwas Funktionales und diene nicht wirklich der Selbstintegration, erreicht hat, daß die Arbeit heute als eine Form des Leistungsdrucks angesehen wird. Hinter diesem Druck steht natürlich die ganze selbstentfremdende Konkurrenz der Konsumwelt. Und die Freizeit ist ja auch wirklich attraktiver geworden als die Arbeit, es gibt immer etwas zu erleben. Hinzu kommt der starke Strukturwandel der Wirtschaft, der auch zu einer ständigen Neuorientierung im Beruf führt. Einige sagen schon, es sei abzusehen, daß jeder Mensch in Zukunft während seines Lebens mehrere Berufe ausüben und mehrere Ausbildungen durchlaufen muß. Die Entwicklung der Wirtschaft und die von den Arbeitenden geforderte Mobilität machen also eine lebenslängliche Bindung und Identifizierung mit dem Beruf gar nicht mehr möglich. Der Beruf als Lebensaufgabe wandelte sich zum Job durch Konsum, Wirtschaftswandel und die Erkenntnis, daß Funktionalität im Leben nicht alles sein kann.

Andererseits hat die Arbeit für mich nichtsdestotrotz eine fatale seelische Funktion als Ablenkung von sich selbst und von den inneren Konflikten. In meinen Augen tut sich hier auch im Zuge der Emanzipation eine ganz verteufelte Falle auf, denn die Emanzipationsbewegung versucht ja in Deutschland mit Recht, die Minderbewertung der Frau aufzuheben und der Frau ein gesellschaftliches Leben zu verschaffen, das dem des Mannes gleichrangig ist. Als erstes Ziel gilt die Gleichbezahlung der Berufe. Eine Frau soll genausoviel Geld bekommen wie ein Mann, wenn sie die gleiche Arbeit leistet, was noch längst nicht durchgesetzt ist. Das Streben der Emanzipation geht letztendlich dahin, daß die Frau ebenso berufstätig ist wie der Mann. Das bringt sie aber in Konflikt mit ihrem eigenen Frau- und möglichen Muttersein. Sie muß gleichzeitig für die Kinder wie für den Beruf dasein. Wenn sie aber beides will, ist sie im Beruf automatisch abgewertet. Das geht gar nicht anders. Ich habe das kürzlich in meiner Abteilung an der Universität miterlebt: Wenn eine Frau ein Kind bekommt, muß sie mindestens während des ersten Erziehungsjahres ersetzt werden. Das ist praktisch gar nicht möglich. Eine Abteilung wie die der Medizinischen Psychologie, die ich am Universitätsklinikum leite, kann sich das unter Umständen noch gerade eben leisten. Wir können Ersatzpersonen einstellen, aber diese sind alle nicht so eingespielt und ausgebildet. Daß die werdende Mutter, die im Beruf ausfällt, nicht zu ersetzen ist, macht genau die wirtschaftliche Minderung der Frau aus. Ein Betrieb, der in starkem Maße leistungs- und konkurrenzorientiert ist, kann sich einen einjährigen Ausfall einer Frau kaum leisten, zumal wenn sie höher qualifiziert ist. Die ganze Arbeitswelt muß im Grunde neu durchdacht werden hinsichtlich des menschlichen Zusammenlebens. Wir müssen ganz neue «Lebenserfindungen» machen. Die Arbeit muß sich am Leben der Menschen orientieren und nicht primär an dem Profit der einzelnen Firma. Doch der Profit der Firma ist auch wichtig – das ist das Dilemma. Die Frau landet dadurch in einer Falle. Zugunsten ihrer langersehnten gesellschaftlichen Anerkennung strebt sie entsetzlicherweise gerade eine funktionale, technokratisierende und gleichsam lebensberaubende Tätigkeit an. Das bedeutet, ihre Anerkennung wird über den Beruf, über die Leistung erlangt und nicht über die Zuneigung in menschlichen Beziehungen. Es hat einfach einen hohen Stellenwert für eine Frau, das habe ich x-mal in meinen Paargruppen erlebt, wenn sie einen Beruf hat. Eine gesellschaftliche Anerkennung wie die durch das Geld und die berufliche Tätigkeit ist offensichtlich mit Haus- und Kinderarbeit nicht zu erlangen. Dieser Zustand wäre vielleicht zu ändern, wenn Elternarbeit genauso bezahlt würde wie Berufsarbeit. Dann erstreckte sich aber die finanzielle Dimension bis in das intime Privatleben hinein – vielleicht geht es nicht anders. Ich denke zum Beispiel an eine Frau, die sich innerhalb der Paargruppe so weit selber fand, daß sie ihr Abitur nachmachte, eine Spezialausbildung absolvierte und einen guten Arbeitsplatz fand. In diesem Job einer amerikanischen Firma steigt sie jetzt Stufe um Stufe höher und erkennt in der Gruppe, wie sie dabei zunehmend ihr Leben verliert. Sie hat die gesellschaftliche Anerkennung im gleichen Maße gewonnen, wie sie ihre Lebendigkeit und ihr Selbst verloren hat. Das betrachte ich als eine große Schwierigkeit im Berufsleben der Bundesrepublik, habe aber das Gefühl, daß diese Problematik überhaupt noch nicht richtig diskutiert wird. Nur bei Gerichtsverhandlungen wird die Hausarbeit ganz anders bewertet. Ein einfacher Arbeiter könnte danach seine eigene Frau überhaupt nicht bezahlen. Eine Mutter zweier Kinder, die einen Haushalt führt, müßte heute brutto etwa DM 3000 bekommen – das steht aber natürlich vollkommen außer Reichweite.

Die Probleme, die *ihr* hattet, haben wir gar nicht. Zwar gibt es auch bei uns neurotisierende Arbeitsverhältnisse oder inhumane Jobs, gegen die sich die Leute zur Wehr setzen, doch bestimmt Protest gegen irgend etwas in keiner Weise den Arbeitsprozeß. Bestimmend ist vielmehr die berufliche Aktivität selbst, denn der Beruf ist mehr mit mir verbunden als ich mit mir selbst – das ist der Punkt. Der Beruf wirkt wie ein Suchtmittel. «Workaholics» heißen die Arbeitssüchtigen bei uns. Die gibt es bei euch wohl nicht...

Maaz: Arbeitssüchtige habe ich auch schon kennengelernt. Aber das ist wohl nicht vergleichbar mit euren Verhältnissen. Interessant ist, was du über die Frauenproblematik gesagt hast. Was du als Entwicklung im Westen beschreibst, ist meiner Meinung nach eine Fehlhaltung, die es in der DDR von Anfang an gab – ein totales Mißverständnis der Emanzipation. Es wurde bei uns nie ernsthaft darüber nachgedacht, was Weiblichkeit und Mütterlichkeit sein könnten, sondern Frauenemanzipation wurde praktisch mit Berufstätigkeit gleichgesetzt. Die Frau sollte endlich auch ihren «Mann» stehen in der Arbeitswelt. So wurden bei uns Frauen Traktoristinnen, Kranführerinnen, Baggerfahrerinnen, Maurerin – häufiger übrigens als Direktorin! Die schwerwiegenden Folgen dieses einseitigen Verständnisses des Frauenproblems und damit des Geschlechterproblems – die Vernachlässigung der Beziehung zu den Kindern und in der Partnerschaft – wurden übersehen. Es war auch kein Thema, inwieweit Männerideale überhaupt anstrebenswerte Ziele seien. Genausowenig war die Frage, was Männlichkeit und Vaterschaft bedeuten, Gegenstand ernsthafter Erörterungen. Mir graut es vor den sogenannten «emanzipierten» Frauen, die lediglich eine Männer-Imago angenommen haben und dazu eine sehr zweifelhafte, die Werte hochhalten wie Leistung, Stärke, Erfolg oder Dominanz. Die «Emanzen» als das Abbild falscher Männlichkeit und voller tragisch-verlogenem Stolz, daß «man(n)» den Beruf und die Kindererziehung «unter einen Hut» hat bringen können, daß «man(n)» beides erfolgreich «gemeistert» hatte. Die armen Kinder! Und was für eine groteske Partnerschaft, denn die Männer gaben dann oft das passende Bild des «Hausmann-Tölpels» statt des «Hausfrau-Hascherls» ab.

Moeller: Vielleicht ist das ja der Beitrag des Ostens für den Westen: Was wir anstreben, war bei euch alles schon da – und es war trotzdem nicht das Paradies. Wichtig erscheint mir auch die Konkurrenz zwischen Beruf und Beziehung. Ich erlebe das in meinem eigenen Leben. Ich arbeite, meine Partnerin arbeitet – doch beide Zeiten sind nicht deckungsgleich. Wir können uns schon aufgrund der äußeren Umstände viel zuwenig Zeit füreinander freihalten, auch wenn wir noch so entschlossen dazu sind. Dabei habe ich noch einen Beruf ohne fixierte Arbeitszeiten, weil ich als Professor meine Dienstzeiten selber festlegen kann. Ich bin also höchst privilegiert. Trotzdem haben wir zuwenig Zeit für unsere Beziehung. Der Beruf wirkt – auch zeitlich gesehen – viel tiefer ins persönliche Leben hinein, als es den reinen Arbeitsstunden entspricht. Ganz abgesehen vom Engagement für die jeweilige berufliche Tätigkeit, die im Westen vielleicht wegen des stärkeren offenen Konkurrenzkampfes so hoch ist. Man identifiziert sich oftmals in starkem Maße mit seinem Beruf, so daß er empfindlich in die persönlichen Beziehungen hineinwirkt. Man ist dann auch jenseits der Arbeitszeit mit beruflichen Dingen beschäftigt. Das färbt natürlich die ganze Beziehung ein und drückt sie gewissermaßen an die Wand.

Maaz: Zeitprobleme in der Partnerschaft kenne ich fast nur von Schichtarbeitern. Sonst gab es so etwas bei uns eigentlich nicht. Für die Freizeit wurde nicht viel Attraktives geboten und Mehrarbeit kaum honoriert, so daß man stärker aufeinander angewiesen war. Man saß öfters zusammen, auch im Freundeskreis, man machte kleine Ausflüge und Spaziergänge, man sah gemeinsam fern.

Was die Beziehung zwischen Arbeit und Geld anbetrifft, sehe ich deutliche Unterschiede zwischen beiden Systemen. Die DDR ist ja vor allem aus wirtschaftlichen Gründen kollabiert. Es gab keinen hinreichenden Anreiz, die Arbeit so zu machen, daß sie im Vergleich zum Westen effektiv ist. Wir haben ja im Grunde genommen nicht schlecht gelebt, keiner hat gehungert – nur im Vergleich mit dem Überfluß im Westen haben wir uns arm gefühlt. Die D-Mark bekam auf diese Weise einen Fetischcharakter. Und ganz offensichtlich ist die Honorierung der Arbeit durch eine harte Währung sehr effektiv. Sie fördert das Konkurrenzverhalten. Je mehr ich verdiene, desto mehr kann ich mir leisten – je mehr ich mir leiste, desto mehr muß ich verdienen. Es entsteht eine Spirale, die bei uns nicht funktionierte. Erst jetzt setzt das bei uns plötzlich rasant ein.

Im medizinischen Sektor erlebe ich das als besonders deprimierend. Wir hatten seit Jahren eine Auseinandersetzung zwischen biologisch-naturwissenschaftlich orientierter und psychosozialer Medizin. Durch unser Engagement konnten wir – auch gegen die staatliche und akademische Haltung – viele Kollegen davon überzeugen, welch große Bedeutung psychosoziales Denken und Handeln in der Medizin hat. Jetzt muß sich auf einmal überall alles «rechnen». Das ist die neue Richtschnur, auch in der Medizin. Die Ärzte, die sich niederlassen wollen oder dazu gedrängt werden, stellen fest, daß sie wirtschaftlich nur überleben können, wenn sie organisch-technische Medizin betreiben: viel Labor, viel Gerät, viele Untersuchungen – das bringt Geld. Wenn sie dagegen Gespräche führen, können sie wirtschaftlich nicht überleben, so daß alles, was wir mühsam erreicht haben, mit einem Handstreich verlorenzugehen droht. Mit der Verordnung von Medikamenten ist es noch schlimmer. Nicht nur, daß es wenig Zeit braucht zu rezeptieren, also mehr Geld bringt, je schneller man rezeptiert, sondern die Pharmakonzerne ködern die Kollegen regelrecht mit Einladungen zu Seminaren in schöne Urlaubsgegenden, mit Geschenken und Gewinnbeteiligung bei der Verschreibung von Medikamenten. Das Geld schafft es in kürzester Zeit, Einstellungen und Haltungen zu verändern. Dies ist nicht nur ein moralisches Problem, sondern ein solches Verhalten ist offensichtlich notwendig, um in einer eigenen Praxis überleben zu können. Der Patient bekommt in Zukunft also noch mehr Technik, Medikamente und immer weniger Arzt – das Geld führt also dazu, Beziehungen einzuschränken und die menschliche Seite zu vernachlässigen. Es wird zu einem Manipulationsinstrument, das wesentlich effektiver ist als alle früheren Druckmittel bei uns.

Moeller: Diese spezielle Situation der Medizin ist für mich ein Symbol für die Rolle des Geldes insgesamt. Die von mir erwähnte Frau, die durch die Paargruppe eine glänzende emanzipatorische Entwicklung erlebte, hat – ebenfalls dank der Paargruppe – zugleich deutlich wahrgenommen, wie sie sich dabei selbst verlor. Deshalb ist sie immer wieder im Zweifel, ob sie weitermachen soll. Sie sagt, sie werde wahnsinnig verführt. Sie wird zur Assistentin oder Oberassistentin befördert, und die Stufen ihres Aufstiegs werden mit Gold ausgelegt. Die Höhe des Gehaltes spielt für die Firma eine zweitrangige Rolle, doch wird die Frau mit diesem Geld auch «entselbstet». Das Geld hat ja nicht nur die Funktion, sich etwas leisten zu können, darum geht es der Betreffenden gar nicht – das Geld ist vielmehr der Träger der gesellschaftlichen Anerkennung, also jener Liebeszuwendung, die einem im Grunde fehlt. Die Frau lebt zwar in einer nach meinem Empfinden genügend guten Beziehung, doch sie braucht dieses Geld aus seelischen Gründen.

Was den Gegensatz zwischen psychosozialer und technischer Medizin betrifft, ein Standardthema in meinen Vorlesungen, so versuchen die Mediziner in Westdeutschland, allmählich umzudenken. Sie haben beispielsweise erkannt, daß die Gebührenordnung der Krankenkassen die technische Medizin hoch belohnte und – wie du sagtest – die psychosoziale kaum förderte. Nun versucht man, die Kluft zumindest abzuschwächen, indem man die Gesprächszeiten zwischen Ärzten und Patienten höher vergütet und die Bewertung der technischen Medizin dadurch relativ abschwächt. Doch ist das bisher nur eine winzige Veränderung. Einen Herzinfarkt sieht man heute immer noch als eine rein somatische Erkrankung an, und die vielen Apparate müssen einfach eingesetzt werden; eine vernünftige psychosoziale Prophylaxe bleibt aus, obwohl sie längst machbar wäre. Die psychosoziale Medizin wird nämlich auf beiden Seiten, auf seiten der Ärzte und auf seiten der Patienten, nicht sehr geschätzt. Man könnte sich doch freuen, daß man die Krankheiten endlich so behandeln kann, wie sie wirklich behandelt werden müßten. Aber die Patienten wollen die psychosoziale Medizin gar nicht, weil sie sich plötzlich selbst begegnen würden. Und die meisten Ärzte, die eben auch nur Menschen sind, wollen sie ebensowenig.

In meinen Augen verstärkt sich die «Entselbstung» wie eine Spirale: Das Selbst ist aus der eigenen und der nationalen Entwicklungsgeschichte heraus belastet. Man nimmt deshalb gern von ihm Abstand, indem man viel arbeitet; oder viel konsumiert; oder viel Massenmedien hört; oder indem man einen Partner wählt, um den man sich zentrieren kann; oder indem Mütter sich auf ihre Kinder werfen, um von sich selber abzulenken. Wenn man sich aber vom eigenen Selbst auf diese Weise entfernt, bleibt es brach liegen und gerät noch mehr in Verfall. Dadurch wird die innere Lage noch schlimmer. Dann ist man noch mehr gezwungen, sich den vielfältigen Formen der Sucht zuzuwenden, und stürzt sich noch mehr in die Verführungen.

Maaz: Was Parteidisziplin und Repression eines totalitären Systems nur mühsam erreicht haben, schafft das Geld mit Leichtigkeit. Das Geld scheint ein wirksameres Entfremdungs-, Entselbstungs- und Unterdrückungsinstrument zu sein als eine politische Diktatur.

Moeller: Genauso ist es. Ihr kommt aus einer Welt der neurotischen Hemmung durch ein malignes Über-Ich, ein malignes Gewissen. Ihr habt eine Neurose entwickelt, die im wesentlichen aus Hemmung besteht. Jetzt kommt ihr in eine Welt, in der ihr statt einer Neurose eine Perversion entwickeln müßt. Die Perversion ist ja dadurch gekennzeichnet, daß ihr Symptom Befriedigung verschafft. Und genau das ist beim Geld der Fall. Man kann eine Perversion deswegen auch so schwer behandeln. Und auch wir beide werden doch mit diesen ernsten Zwiegesprächen im Nu durch Leute leichteren Sinnes vom Tisch geblasen, die sagen, wir gehen heute abend schön essen, und damit ist unser Leben gelaufen. Oder wie es in der alternativen Szene manchmal heißt: Wir beschließen, ab heute ein problemabstinentes Leben zu führen.

Maaz: Im Westen leidet man also weniger, als wir mit unserer Gehemmtheit und Depressivität gelitten haben. Aber – und das gehört ja zur Perversion in der Regel dazu – man macht andere leiden.

Moeller: Ja, das dürfte noch hinzukommen.

Maaz: Ich denke zum Beispiel an die Umwelt, die «neue Armut», die Arbeitslosigkeit und die Dritte Welt. Der Reichtum auf der einen Seite verstärkt das Elend auf der anderen Seite; die Befriedigung von heute schafft ernste Probleme in der Zukunft.

Moeller: Mit der Umwelt habt ihr es allerdings wahrscheinlich noch schlimmer getrieben als wir. Der Vorwurf mit der Dritten Welt stimmt jedoch. Leute, die ein bißchen Verstand haben, wissen, daß unser Reichtum auf der Ausbeutung der Dritten Welt beruht. Aber ist da der Osten besser gewesen? Ich kann das nicht beurteilen, weil ich die politischen Zusammenhänge nicht übersehe.

Ich denke mir, andere leiden machen – was zur Perversion gehört – findet sich im Begriff Ellenbogengesellschaft wieder. Doch ist diese gar nicht mehr so deutlich aufzuzeigen. Denn Leiden wäre ja wieder ein Hemmschuh, ein Aha-Erlebnis. Die Leute würden sich plötzlich sagen, wenn ich andere leiden mache, kriege ich Schuldgefühle – und das will ich auch nicht. Es geht deshalb viel raffinierter zu. Man macht eben nicht andere in wesentlicher Weise leiden, sondern saugt an den vielfältigen Zerstreuungen. Es gibt ein riesiges Zerstreuungsangebot, und es kann durchaus sein, daß die Leute eines Tages sagen: Was wollen wir denn überhaupt mit diesem Selbst? Mir fällt dazu ein Beispiel ein: Ein Mann wird von seiner Frau regelrecht zu mir in die Praxis geschleppt. Er hat einen hochkarätigen und spannenden Job, und beide meinen, ihre Beziehung sei nicht befriedigend genug, sie wollen sie entwickeln. Nach einiger Zeit in der Paargruppe ist der Mann soweit, daß er nicht mehr jeden Abend um 22.30 Uhr nach Hause kommt, sondern schon um 20.30 Uhr. Nun sitzen sie vor ihrem Kamin, das Feuer brennt, aber der Mann denkt: Ich sitze vor diesem flackernden Feuer, doch was soll ich hier? Könnte ich nicht in dieser Zeit brennend wichtige Aufgaben in meinem Job erledigen? Was sitze ich hier untätig herum, was habe ich hier zu suchen? Auch die Seligkeit seiner Frau hilft nichts, er empfindet in sich selbst nur Leere. Und es hat sehr, sehr lange gedauert, bis er begriff, daß er sich einfach verloren hatte. Schließlich hat er seinen hochbezahlten Job aufgegeben und Medizin studiert. Er hat im Alter von über 40 Jahren angefangen, alles zu verändern.

Maaz: Allmählich begreife ich die merkwürdige Reaktion von uns Ostdeutschen auf die «Wende»: Wir sind geprägt von der permanenten Behinderung unserer Selbstentfaltung. Die vielfach gesetzten Hemmungen haben eine tiefe Selbstunsicherheit verursacht und einen inneren Halt unmöglich gemacht. Je weniger wir als Individuen akzeptiert waren, je weniger wir in unserem Fühlen und Denken bestätigt wurden und von der Fülle der Lebensmöglichkeiten ausprobieren konnten – je weniger innere Erfahrungen wir also machen konnten –, desto mehr sind wir nun von äußeren Autoritäten abhängig, die Halt und Orientierung geben. Deshalb haben wir uns nach der «Wende» auf den Westen gestürzt mit dem flehentlichen Ruf: «Kommt doch endlich, übernehmt uns, führt uns, saniert uns, bringt unseren Saustall endlich in Ordnung. Bringt uns euer Heil!» Unsere Entfremdung soll nun mehr mit wirksameren

Mitteln nur symptomatisch behandelt werden. Wenn es nicht so ernst wäre, könnte ich fast darüber lachen, daß zum Beispiel viele Menschen bei uns glauben, West-Medikamente seien besser als unsere – obwohl sie die gleiche chemische Zusammensetzung oder pharmakologische Wirkung haben. Im Moment werden ja sogar West-Eier oder West-Milch unseren Produkten – auch wenn diese billiger sind – vorgezogen. Was soll man von so einem Volk halten?

Moeller: Es findet sozusagen ein Austausch der seelischen Abwehrmittel statt.

Maaz: Unsere Mittel haben nicht mehr ausgereicht. Jetzt sollen bessere «Drogen» ran, die noch mehr high und noch schneller süchtig machen.

Moeller: Statt einer bitteren Pille nehmt ihr nun eine süße – so möchte ich sagen –, um euch selbst zu betäuben.

Hinzu kommen noch ganz andere Schwierigkeiten. Das Berufsleben ist sehr unübersichtlich geworden. Das erschüttert mich, weil ich selber die Berufswahl als eine große Qual erlebt habe. Zum Teil lag das daran, daß ich eigentlich alles hätte machen können, mir stand eine gewisse Breite zur Verfügung. Zum Teil aber war sie verursacht durch meine Neigung, künstlerisch tätig zu werden. Diese brotlosen Künste galten jedoch in einer Kaufmannsfamilie soviel wie die Pest. Wenn ich heute sehe, welche Vielfalt und Verwirrung im Berufssektor herrschen, dann entspricht das genau der Überfülle in den Regalen, die du angesprochen hast. Ich habe mir mal eine Liste aller Berufe in Form eines dicken Buches zur Hand genommen. Darin standen Berufe, von denen ich im Leben noch nie etwas gehört hatte. Dadurch wird es unglaublich schwierig, sich überhaupt zu entscheiden.

Darüber hinaus wird das Angebot an Berufen, die junge Menschen heute noch wählen können, um sich selber lebendig zu fühlen, also Berufe, die mit Menschen zu tun haben, immer kleiner. Ingenieur und technische Fachkraft kann man dagegen sofort werden. Allerdings ist man in solchen Berufen oftmals sehr viel weniger mit sich selbst zusammen. Man hat also heute gar keine Chance mehr, wirklich das zu wählen, was man möchte, weil sich die wirtschaftlichen Zwänge in eine vollkommen andere Richtung entwikkeln. Vielleicht ist damit nur eine frühere Luxussituation vorüber. Nach meiner Meinung trägt das aber auch dazu bei, daß der Beruf zunehmend zum Job wird. Man sagt einfach: Gut, ich mach das halt, aber mein Herz hängt nicht daran.

Maaz: Heißt das, daß die Vielzahl der Möglichkeiten und die wirtschaftlichen Zwänge häufig dazu führen, daß man sich auch falsch entscheidet? Daß man nicht den Beruf wählt, der zur inneren Befreiung und Befriedigung hätte führen können, sondern eher zum Gegenteil?

Moeller: Ja, das meine ich. Es kommt noch hinzu, daß bereits bei der Berufswahl vorausgesetzt wird, daß man eine gewisse innere Identität besitzt. Man sollte wissen, was man eigentlich möchte. Das ist aber in den schwierigen seelischen Zeiten der Adoleszenz oft gar nicht gegeben. Darüber hinaus muß man eine gewisse Klarheit über das Angebot haben – wer hat diese aber noch? Man braucht ja ein ganzes Jahr, um allein alle diese Berufe einmal durchzugehen.

Maaz: Bei uns war dies auf eine andere Art und Weise ganz ähnlich – andere Mechanismen, aber vergleichbare Folgen. Bei uns wurden die jungen Menschen eher genötigt, bestimmte Berufe zu ergreifen. Sie wurden «gelenkt» nach Planvorgaben. Und wer nicht gleich einsichtig war, dessen «richtiges Bewußtsein» wurde angezweifelt und so unter eine moralisierende Nötigung gestellt. So haben viele bei uns einen Beruf erlernen müssen, den sie nie gewollt haben. Auch der letzte Rest an individuellen Wünschen wurde auf diese Weise mißachtet und die Einengung durch einen ungeliebten Beruf vollendet. Oberstes Gebot war, das Individuum solle seine Interessen zugunsten des Kollektivs, der Gesellschaft zurückstellen. Wem das gut gelang, der wurde als gereifte Persönlichkeit belobigt und dem wurde versichert, daß er Glück und Erfolg erwarten könne.

Durch unser Gespräch wird mir erst jetzt richtig deutlich, daß es zwar äußerlich sehr viele Unterschiede zwischen beiden Systemen gegeben hat, diese aber in den zentralen inneren Wirkungen durchaus vergleichbar sind: Auf der einen Seite die Fülle, die terrorisiert und Beziehungen entleert, auf der anderen Seite der Mangel, der zermürbt, bedrückt und die Menschen fehlleitet. Beides sind polare Gegensätze, die in den Wirkungen auf die Seele und die menschlichen Beziehungen aber vergleichbare Effekte haben.

Moeller: Ja, das sehe ich auch so.

Ich möchte noch auf einen Unterschied kommen, den ich nun wirklich deutlich zu sehen meine – auch auf die Gefahr hin, daß wir wieder etwas Gemeinsames entdecken. Eine Umfrage, die zum erstenmal Ost- und Westdeutsche umfaßte*, ergab, daß wir uns in vieler Hinsicht sehr ähneln, in mancher Hinsicht aber deutlich unterscheiden. Ein wichtiger Unterschied bestand darin, daß die Ostdeutschen sehr viel mehr für Sicherheit und Ordnung eintraten als die Westdeutschen. Diese Differenz hat mich sehr verblüfft. Warum ist das Sicherheitsbedürfnis in deinen Augen im Osten so stark?

Maaz: Da habe ich keine Schwierigkeiten, das zu verstehen. Von klein auf wurde bei uns Eigenständigkeit nicht nur nicht gefördert, sondern unterdrückt und Anpassung erzwungen. Individualität war verpönt. Der Befehl lautete: «Du hast dich ein- und unterzuordnen! Deine Meinung gilt nicht, du hast unsere zu übernehmen!» Das führte zu einer großen Selbstunsicherheit. Am Ende wußte keiner mehr, was er wirklich will und wer er wirklich ist. Das Ergebnis war todsicher Abhängigkeit. Die innere Unsicherheit sollte einfach durch äußere Sicherheit ersetzt werden. Disziplin und Ordnung waren von daher höchste Tugenden. Und der Sicherheitsapparat konnte auch deshalb so auswuchern, weil bei vielen Menschen ein ausgeprägtes unbewußtes Sicherheitsbedürfnis vorhanden war, um die eigene Ich-Schwäche zu verbergen. Viele von uns können schlecht bei sich selbst sein und fordern deshalb von anderen Führung, Lenkung, Schutz und Geborgenheit.

Sehr deutlich konnte man das nach der Grenzöffnung erleben. Mit der äußeren Befreiung konnten sehr viele gar nichts anfangen, und sie reagierten mit Angst. Sie wurden in eine äußere Freiheit gestoßen, die sie innerlich gar nicht leben und ausfüllen konnten. Je

* Deutschland 2000, in: Süddeutsche Zeitung-Magazin vom 19.1.1991.

weiter der äußere Rahmen ist, desto mehr muß man ja selbst bestimmen, was man will und wer man ist. Und das haben wir nicht gelernt, ja letztlich war es sogar bei Strafe verboten. Das damit verbundene Elend, die erfahrene Einengung und den Verlust an Lebensmöglichkeit und -qualität müßten wir jetzt eigentlich als schmerzlich und traurig empfinden – oder aber wir versuchen, rasch neue Autoritäten zu bekommen, die uns wieder Sicherheit und Geborgenheit geben und uns sagen, wo es langgeht. Auf diese Weise ersparen wir uns Bewegung im Sinne von belastender Bewegtheit, allerdings erneut auf Kosten unserer eigenen Lebendigkeit. In die allgemeinärztlichen Sprechstunden, so hörte ich von Kollegen, kommen in letzter Zeit auffällig viele Patienten mit Krankheitssymptomen im Bewegungsapparat; darin drückt sich in meinen Augen auch der Konflikt zwischen der neuen äußeren Bewegungsfreiheit, ja -nötigung und der alten inneren Gelähmtheit aus. Ich erinnere den Ausspruch eines jungen Mannes, der für viele ähnliche Empfindungen steht: «Ich bin plötzlich grenzenlos, das macht mir angst. Mit dieser Mauer hatte ich mich eingerichtet, kannte genau meine Möglichkeiten und Grenzen. Jetzt verliere ich dieses Korsett – und wer bin ich dann noch?»

Moeller: Ich habe noch zwei andere Erklärungen für das unterschiedliche Sicherheitsbedürfnis. Zum einen bringt die Vereinigung mit sich, daß sich die ostdeutsche Identität stärker ändert als die westdeutsche. Westdeutschland wird vermutlich versuchen, daß sich gar nichts verändert. Die Leute wollen nach Möglichkeit ihren Stiefel weitermachen und sich nicht weiter irritieren lassen. Für euch bedeutet das in jedem Falle einen Heimatverlust, auch wenn diese Heimat gräßlich war. Wenn man so plötzlich in ein ganz neues Lebensfeld freigesetzt wird, werden jedoch die Ängste sehr groß und dementsprechend die Neigung, sich an irgend etwas festzuhalten. Sicherheit und Ordnung wären demnach zum Teil die Wiederholung der alten Heimat, zum Teil aber auch eine Antwort auf das aktuelle neue Ausgesetztsein.

Außerdem könnte ich mir vorstellen, daß das Gefühl der Bedrohung durch Unordnung, Aufruhr, Skinheads und Rechtsextremismus nicht nur dadurch ausgelöst wird, daß es hier und da wirklich rechtsextreme Elemente gibt – sozialpsychologisch gesehen als Ausdruck der unterdrückten Wut –, sondern daß diese in der Phantasie der Ostdeutschen auch stärker erlebt und sozusagen erhöht wird. Anders gesagt: daß sich die Menschen durch den Ruf nach einer ordnenden Hand gewissermaßen vor ihren eigenen Aggressionen – eben der unterdrückten Wut – schützen möchten.

Maaz: Das teile ich sofort. Zu den neurotischen Ängsten – Angst vor der Freiheit, Angst vor der Veränderung –, die Folge der erzwungenen Gehemmtheiten sind, kommen jetzt reale Ängste, wirkliche Enttäuschung und berechtigte Empörung hinzu. Die totale Umstellung unseres Lebens führt für viele zu einer existentiellen Bedrohung. Die großartigen politischen Versprechungen erweisen sich als Irrtum oder als Lüge im Dienste neuer Machtinteressen. Wir werden wieder auf die Zukunft vertröstet, doch damit hatte der Sozialismus uns auch schon vier Jahrzehnte hingehalten. Und die Empörung wächst mit der Art und Weise, wie wir politisch, ökonomisch und letztlich auch menschlich okkupiert und erneut mit den alten Tricks unterworfen werden, daß dies nur zu unserem Besten geschehe. So argumentierten schon unsere Eltern und erst recht die ehemaligen Funktionäre. Auf die alten Demütigungen, Kränkungen und Einengungen werden neue gesetzt, und bei allem sollen wir auch noch optimistisch sein. Das seien nur die Schwierigkeiten der Übergangszeit, hatte schon die Politbürokratie behauptet. Also, zur alten Wut kommt die neue hinzu. Aber aggressiv zu sein war immer extrem verpönt bei uns – und sollten wir etwa den großzügigen Rettern, die uns mit Milliarden vollpumpen, jetzt noch undankbaren Protest entgegenschleudern? Nein, nein, wir sind gut erzogen, brav und angepaßt, und das soll auch so bleiben. Wir wollen doch die «erste erfolgreiche friedliche Revolution auf deutschem Boden» nicht beflecken.

Ich kann mir solch bittere Ironie nicht verkneifen und empfinde dabei bereits wieder Angst, ob ich damit nicht zu weit gehe. Auch das halte ich für typisch: Wir durften nie offen und ehrlich protestieren oder unsere Wut zeigen; wir durften uns weder abgrenzen noch «nein» sagen – dies galt als politisch subversiv und staatsgefährdend oder zumindest als ungehorsam und aufsässig. In Schülerbeurteilungen konnte man mitunter lesen: «...hat mit seiner eigenwilligen Meinung Schwierigkeiten, sich ins Kollektiv einzuordnen!» Also, eine gesunde Form von Aggressivität als Ausdruck von entsprechenden Gefühlen, als eine Form des Herangehens an Dinge und Personen, des Sichabgrenzens und Eigenständigkeit-Entwickelns war uns nicht vergönnt. Kein Wunder also, daß ein solcher Gefühlsstau einen idealen Nährboden bildet für Fremdenhaß, Radikalismus und Gewalt. Je stärker die Wut tief im Innern empfunden wird, desto mehr wächst auch der Ruf nach einer starken ordnenden Macht.

Moeller: Ich meine, es war euch nicht nur nicht möglich, aggressive Gefühle zu äußern, mit ihnen umzugehen und sie auch reifen zu lassen; vielmehr gibt es auch etwas, das im Osten, wenn auch auf andere Weise, ganz ähnlich war wie im Westen. In beiden Systemen sind die Menschen durch eine Entselbstung gegangen, durch eine Lebensentwicklung, in der sie nicht wirklich zu sich kommen konnten. Vielleicht ist das die tiefste Enttäuschung, die man im Leben erfahren kann. Und diese Enttäuschung muß eine große Wut hervorrufen – die Enttäuschungswut, nicht wirklich zum Leben gekommen zu sein. Ich müßte sie eigentlich auch im Westen finden, doch ist sie mir im Augenblick nicht besonders gegenwärtig.

Maaz: Deshalb wurde bei uns ja die «Gewaltfreiheit» so beschworen. Dies wäre gar nicht nötig gewesen, wenn die Menschen nicht voller berechtigtem Zorn gewesen wären. Die Schmach der Unterdrückung und Einengung, des letztlich verlorenen Lebens, verursacht unweigerlich abgrundtiefen Haß. Dieser Haß mußte mit großem moralischem Aufwand gezügelt werden. Unsere Friedfertigkeit erfuhr von allen Seiten höchste Anerkennung, und wir waren auch tatsächlich stolz darauf. Aber die Tragik dabei war, daß Wut und Haß weitgehend verborgen blieben.

Moeller: Natürlich gibt es auch in Westdeutschland ein Aufbrechen von Destruktivität auf den Straßen, von Kriminalität, die mir angst und bange macht. Diese nimmt wirklich amerikanische Verhältnisse an. Ich habe gerade in letzter Zeit scheußliche Erlebnisse gehabt: wie sich zwei Türken auf einem S-Bahnsteig in Hamburg zu Blutmatsch geschlagen haben. Das ist mir sehr nahe gegangen. Es bestand für niemanden eine Chance einzugreifen, teils aus Angst, teils aus einer Unmöglichkeit heraus zu verstehen, was eigentlich vor sich gegangen war, teils aus der Plötzlichkeit heraus. Und ich weiß von einer Bekannten, deren Sohn auf offener Straße von Skinheads zusammengeschlagen wurde. Ereignisse, die mich wirklich sehr erschrecken, weniger, was meine eigene Person betrifft, mehr wegen der Kinder. Ich habe jetzt schon öfter gehört, daß Kinder von der Schule kamen und zusammengeschlagen wurden. Da kommt etwas Ungewohntes auf uns zu, und ich glaube, es wird so weit kommen, daß wir wahrscheinlich die Hoffnung und den Anspruch auf eine friedvolle Gesellschaft aufgeben müssen. Diese Vorstellung läßt sich nicht mehr realisieren wegen der seelischen Verkrümmungen, die in dieser Nation mehr und mehr zutage treten.

Maaz: Diese Gewalt zeigt sich jetzt auch bei uns und nimmt mit erschreckender Schnelligkeit zu. Sie war schon immer vorhanden, nur wurde sie durch den Polizei- und Sicherheitsapparat unter Kontrolle gebracht. Jetzt fällt dieser Knüppel weg. Der äußere Führungs- und Orientierungsverlust und die neue kritische Lage provozieren Angst, und die angestaute Aggressivität, die in den Menschen schon lange schmort, bricht sich Bahn. Da ich im Moment keine Ansätze sehe, wie wir unsere seelischen Verbiegungen aufarbeiten könnten, werden sich die destruktiven Folgen wohl noch verstärken. Indem wir uns so schnell auf die neuen Hoffnungen stürzen, wollen wir unsere eigenen Störungen übersehen und ihnen entgehen. Das kann jedoch nicht gutgehen. Wir hatten das schon einmal in der DDR, als der Faschismus durch den Sozialismus überwunden werden sollte – was dabei herauskam, wissen wir inzwischen.

Moeller: Was uns im Grunde fehlt, ist ein jährlicher «Bericht zur psychosozialen Lage der Nation». Wir haben zwar einen «Bericht zur Lage der Nation», doch der behandelt im wesentlichen nur das Wirtschaftsleben. Die entsprechenden Fachleute müßten sich zusammentun, um einen Bericht zum Leben der Nation zu erstellen –

dann könnten wir sehen, wo die wirklichen Kosten dieser Glanz- und Gloriagesellschaft liegen.

Maaz: Die Reaktion auf mein «Psychogramm der DDR» findet im Westen merkwürdigerweise mehr Interesse als im Osten – was mir eigentlich gar nicht recht ist. Da es vor allem um unsere Situation geht, kann sich der Westler bequem zurücklehnen und sagen: «Seht mal, so ist das. So sind die da drüben. Wir sind fein raus. Wir müssen denen jetzt das richtige Leben beibringen!» Aber ich muß ehrlicherweise sagen, daß ich auch häufig gesagt bekam: «Das ist ja im Westen auch nicht anders!»

Moeller: Ja, natürlich.

Maaz: Deshalb wünschte ich mir, daß Analysen auch von westlicher Seite kommen, Beschreibungen der psychosozialen Situation dort – damit wir schneller erfahren und begreifen können, daß es im Westen, obwohl äußerlich alles so hervorragend ist, doch ein beträchtliches Maß psychosozialer Not gibt.

Moeller: Ich bin seit einigen Jahren dabei, mit dem Buch «Männermatriarchat» – ähnlich wie du es für Ostdeutschland tatest – eine Art Psychogramm des seelischen Lebens in den Industrienationen zu entwerfen. Wenn die Frage lautet, wozu ich acht Jahrzehnte auf dieser Welt bin, wenn es also um den inneren Kern des Lebendigseins geht, wird man sich auch hier nicht als glücklich bezeichnen können. Zwar haben wir, was die äußeren Lebensbedingungen betrifft, eine der privilegiertesten Situationen in der Welt – die Schweiz und die Bundesrepublik sollen die Nationen sein, in denen man am günstigsten lebt, wenn man die Verdienstmöglichkeit, die geringe Inflation, den Lebensstandard und die soziale Absicherung bedenkt. Aber was die inneren Lebensbedingungen betrifft, scheint es mir weniger gut auszusehen.

Ich würde an dieser Stelle gerne noch übergehen auf die unterschiedliche Einstellung zu den politischen Autoritäten in beiden Systemen, auf die politische Haltung, das politische Handeln und die Informationschancen. Darin könnten die größten Unterschiede liegen, denn ihr habt ein ganz anderes Regime gehabt als wir.

Maaz: Es gab bei uns auf der einen Seite den «Apparat» – also die

Funktionäre der Partei, des Staates, des Sicherheitsapparates, alle, die zur Macht gehörten und die mit dem System aus Überzeugung oder aus Karrieregründen verbunden waren. Diese Leute waren in der Regel auch politisch einseitig orientiert. Sie waren praktisch indoktriniert und bestrebt, alle Vorgänge in ihre Weltsicht zu pressen, umzudeuten und Nicht-Kompatibles einfach auszublenden. Das ergab mitunter groteske, bornierte und auch fanatische Haltungen und Ansichten. Diese sogenannten «Apparatschiks» bekamen regelmäßig «Rotlichtbestrahlung», das heißt, sie wurden propagandistisch geschult und auf die Dogmen der Partei eingeschworen. Zu ihren Pflichten gehörte, daß jedweder Kontakt nach dem Westen, selbst wenn es Familienangehörige waren, abgebrochen wurde und keinerlei Informationsquellen aus dem «kapitalistischen Ausland» benutzt wurden. Tatsächlich haben sich die meisten an diese absolute Abschottung gehalten, schon um keine inneren Konflikte und Zweifel aufkommen zu lassen. Aus der verordneten Kontaktsperre und geistigen Einseitigkeit wurde eine «freiwillige» Selbstbeschränkung. Mir offenbarte einmal ein hochrangiger Funktionär, daß er während seines Studiums in Moskau bei einem wissenschaftlichen Seminar mit westdeutschen Kollegen zusammentraf – in diesem Fall war er verpflichtet, das Seminar sofort zu verlassen. In der Regel wurde jedoch schon vorher dafür gesorgt, daß solche Begegnungen überhaupt nicht passieren konnten. Wenn ich nur an das Affentheater denke, das veranstaltet wurde, wenn wir zu unseren Fachtagungen mal Westkollegen einladen wollten. Für Bundesdeutsche war die Erlaubnis sowieso schon schwieriger zu bekommen als für andere Westeuropäer, aber jeder Gast wurde eigens vorher sicherheitsdienstlich durchgecheckt. Man erforschte, was er irgendwo und irgendwann mal über die DDR oder den Sozialismus geäußert hatte, und wenn seine Ungefährlichkeit beziehungsweise seine Loyalität zu unserem System nicht erwiesen war, kam er als Gast überhaupt nicht in Frage. Zudem war das bürokratische Procedere so erschwert, daß selbst diese wissenschaftlichen Kontakte kaum zu realisieren waren. Erst in den letzten Jahren wurde das ein wenig lockerer gehandhabt.

Neben den Systemtreuen gab es auf der anderen Seite die große Zahl derjenigen, die innerlich in Distanz zur DDR lebten, obwohl sie nach außen hin unauffällige Mitläufer sein konnten. Typisch für sie war, daß sie sich innerlich überwiegend oder gar ausschließlich auf den Westen orientierten und sich über Rundfunk und Fernsehen regelmäßig die Informationen von drüben holten. Das führte zu grotesken Spaltungen: Tagsüber und nach außen hin lebten sie im Osten, abends und im privaten Bereich führten sie über das «einzige Guckfenster» – den Fernseher – ein Westleben aus der Konserve. Die westdeutschen Minister waren namentlich besser bekannt als unsere Politiker, ebenso alle sonstige Prominenz. Bei einem Fußballspiel zwischen der DDR und der Bundesrepublik waren viele von uns auf seiten der Westdeutschen – als Ausdruck unserer gespaltenen Identität, einer heimlichen Protesthaltung oder auch nur, weil wir die propagandistische Ausnutzung der sportlichen DDR-Siege nicht mehr ertragen konnten. Die Stimmen mancher hysterischer Sportreporter, die mit jeder Goldmedaille die Überlegenheit des Sozialismus feierten und Staat und Partei dafür Dank heuchelten, waren für manch einen wirklich wie ein «Kotzmittel».

Insgesamt bestand aber in der DDR ein großes Interesse an politischen Vorgängen – immer verbunden mit der stillen Hoffnung, einen Schimmer solcher Veränderungen und Entwicklungen mitzubekommen, die unsere Lage verbessern könnten.

Moeller: Du hast ausführlich von den Karrieristen und ihrem Gegensatz, den inneren Oppositionellen, gesprochen – die Obrigkeitsfixierung ist offensichtlich permanent durch das System induziert worden. Entweder war man in Totalanpassung dafür, oder man war in strenger Abgrenzung dagegen. Aber auch in der Abgrenzung dagegen war man wieder fixiert auf die Obrigkeit.

Maaz: Das ist richtig. Wir waren abhängig oder «gegenabhängig». Zwischentöne waren selten, denn diese hätten für die psychische Verarbeitung die schwierigste Situation bedeutet. Man hätte in ständiger innerer Auseinandersetzung leben müssen. Anpassung oder stiller Rückzug waren dagegen viel einfacher. Auch deshalb hat es an der Basis keine politische Arbeit gegeben mit Meinungsaustausch, kritischer Auseinandersetzung und Streit. Eine solche lebendige politische Aktivität wäre bereits als staatsfeindlich eingestuft und unterbunden worden. Allein wenn man sich regelmäßig mit Freunden oder Kollegen traf und über irgend etwas diskutierte, geriet man in Gefahr, als staatsfeindliche Gruppe diffamiert und verfolgt zu werden. Nicht mal über Karl Marx hätte man aus privater Initiative heraus einfach reden und streiten dürfen – dies war nur gestattet, wenn es eine staatliche Organisation veranstaltete, und dann waren alle Statements sorgfältig vorbereitet, zensiert und kontrolliert.

Auch in den ehemaligen «Blockparteien» gab es keine eigenständige politische Arbeit. Sie dienten der SED als Befehlsempfänger und Vollzugseinheiten für solche Menschen, die aufgrund ihrer Herkunft, ihrer sozialen Position oder ihres christlichen Glaubens nicht zur Arbeiter-und-Bauern-Partei paßten. Moralisch gesehen, halte ich die «Blockparteien» für unanständiger als die SED, weil sie die rote Indoktrinierung noch mit einer schwarzen, nationalen oder liberalen Maske kaschierten. Sie besaßen nicht einmal die Ehrlichkeit, sich offen zur Macht zu bekennen, sondern gaben das heuchlerische Feigenblatt für scheinbar demokratische Verhältnisse ab. Die schnelle Vereinigung mit den entsprechenden Westparteien ist für mich vor diesem Hintergrund völlig unverständlich und läßt bei mir erhebliche Zweifel an der demokratischen Redlichkeit dieser Parteien aufkommen. Das Rezept möchte ich kennen, wie Gesinnungslumpen in wenigen Tagen zu Demokraten umgewandelt werden können.

Moeller: Im Grunde ist es nur zu einer Autoritätentransfusion gekommen – vom zusammengebrochenen SED-Regime zur D-Mark in Gestalt der CDU.

Maaz: Genau das habe ich als besonders deprimierend erlebt – unsere Unfähigkeit, unsere eigenen Angelegenheiten selber in Ordnung zu bringen. Die meisten von uns haben ja die neuen Autoritäten herbeigerufen: «Kommt und rettet uns. Erlöst uns von unserem Übel. Bringt uns den Wohlstand, und bringt vor allem endlich unseren Saustall in Ordnung.» Wir selbst waren dazu offensichtlich nicht in der Lage, und wir hatten auch keine eigenen Autoritäten, denen wir das zugetraut hätten. Eine alternative politische Elite gab es nicht, denn diese war durch die totale Kontrolle und Unterdrükkung verhindert oder aber durch Ausbürgerung vertrieben worden. Und die wenigen Intellektuellen, die Künstler und die Pfarrer, die Ansehen im Lande genossen, waren für politische Führungsfunktionen einfach zu schwach. Hätten wir einen wirklichen Selbstreinigungsprozeß durchgemacht, wären wir außerdem alle mit unserer Mittäterschaft und Schuld konfrontiert worden. Dann ist es doch leichter, wir bleiben Untertanen und suchen uns neue Herren!

Moeller: Könnte für diese Entwicklung nicht auch das enorme wechselseitige Mißtrauen eine Rolle gespielt haben, das eure Solidarität immer unterminiert haben muß? Der Nachbar könnte ja bei der Stasi sein. Ihr konntet bei dem Versuch einer inneren Demokratisierung keine Autoritäten finden, weil alle Autoritäten diskreditiert waren, und ihr konntet auch euresgleichen nicht zur Autorität machen, weil euch das Mißtrauen zu sehr in den Knochen saß.

Maaz: Nein, das glaube ich weniger. Nicht unser Mißtrauen hat uns geschadet, sondern unser falsches Vertrauen. Bei den ersten freien Wahlen haben wir – zugespitzt formuliert – praktisch ja die Stasi gewählt. Viele, die durch diese freien demokratischen Wahlen an die Macht gekommen sind, waren vorher Stasi-Mitarbeiter. Dies wirft auch ein schlechtes Licht auf das Procedere demokratischer Wahlen, wenn man zwar «frei» wählen kann, aber die Kandidaten gezinkt oder sonstwie verdorben sind. Demokratie ist ein Prozeß, der in den Seelen der Menschen erst durch ihre Beziehungen reifen muß. Wir dagegen haben im Moment nur ein demokratisches Gehabe angenommen und verbergen darunter unsere Autoritätssucht. Wir wollen lieber geführt, ja verführt werden, nur um bei größerer Eigenständigkeit nicht unser eingeengtes Leben wahrnehmen zu müssen.

Die Verhältnisse in unserem System haben es keinem erlaubt, sich wirklich zu profilieren. Und unsere ersten basisdemokratischen Versuche während der «Wende» sind auch deshalb kläglich gescheitert, weil wir «Gleichgestellten» das ganz natürliche Rivalisieren und Auseinandersetzen nicht gelernt hatten und als Reaktion auf die autoritären Strukturen jede neue, aber notwendige Struktur ablehnten. Mit der Parole der «Basisdemokratie» wurden auch gesunde und notwendige Profilierungswünsche abgewehrt, weil der Autoritätshaß bei den meisten von uns so tief sitzt. Wir hatten einfach nicht die Chance, menschlich und damit auch politisch zu reifen. Persönlichkeiten mit Charisma brauchen Kompetenz und Echtheit, frei von neurotischer Gehemmtheit und Verlogenheit, damit sie politische Inhalte glaubhaft und überzeugend herüberbringen können und ihre Integrität gespürt wird. Solche Führer hatten wir nicht. Damit war und ist das Feld frei für eine neue Demagogie.

Wir sind es auch nicht gewohnt, zwischen der Autorität durch Macht und der durch Kompetenz zu unterscheiden. Bei uns hatte die Partei immer recht, auch wenn sie log; die Mitteilungen aus Rundfunk, Presse und Fernsehen enthielten stets nur die offizielle, staatstragende und damit einzig «wahre» Meinung, so daß wir kaum über Erfahrungen mit der Pluralität von Ansichten und der relativen Kompetenz von Experten verfügen. Wir halten es oftmals kaum aus, wenn verschiedene und womöglich gegensätzliche Meinungen nebeneinander bestehen, und der Gedanke, daß Mächtige nicht nur inkompetent, sondern auch dumm und seelisch krank sein könnten, ist vielen unvorstellbar.

Moeller: Es ist entsetzlich und faszinierend zugleich, zu sehen, wie sich die Entselbstung politisch ausgewirkt hat. Denn *sie* hat letztendlich dazu geführt, daß ihr die innere Demokratisierung nicht selber zustande gebracht habt. Aber noch einmal zur Stasi: Habt ihr sie deshalb gewählt, weil die Angstanpassung immer noch wirksam war? Wahrscheinlich überfordert es die Menschen, in so kurzer Zeit eine so rapide Entwicklung mitzumachen. Ich hoffe deswegen, daß die innere Demokratisierung auf lange Sicht doch beginnt, obwohl ihr dann in den Wirtschaftsaufbau, womöglich sogar in das Wirtschaftswunder eingebunden seid. Eure ganze Energie wird dann vermutlich aufgezehrt durch die industrielle und nicht durch die seelische Orientierung.

Was den Westen betrifft, so idealisieren wir vielleicht auch etwas unser politisches Verhalten. Nach dem Zusammenbruch des Naziregimes, nach dem Hitler-Verlust hat es ja anfangs eine sehr lange Zeit gegeben, in der Westdeutschland sich eine Uralt-Autorität wählte, deren Kindheit noch im Kaiserreich lag – nämlich Adenauer. Politisch war er eine starke Führerfigur, demokratisch zwar, aber eine Autorität mit großen Schattenseiten. Damals wurde die Chance vertan, das Hitler-Regime seelisch und politisch zu verarbeiten. Ralph Giordano hat das in seinem Buch* präzisiert. Wir haben nicht nur die erste Schuld, Mitwirkende an den Naziverbrechen gewesen zu sein, sondern auch die zweite Schuld, unsere Vergangenheit nicht richtig aufgearbeitet zu haben. Kein Nazirichter wurde beispielsweise wirklich verurteilt, vielmehr gelangten sie zum Teil wieder in höchste Positionen. Der nationalsozialistisch schwer belastete Globke kann dabei als Paradebeispiel dienen – Adenauer machte ihn zum Kanzlerberater. Es war damals eine Regierungsperiode mit starker Autoritätsfixierung, durch und durch konservativ, wie es nach Krisen häufig passiert. Angst produziert ein konservatives politisches Verhalten. Man will das Alte konservieren, bewahren. Der berühmte Slogan «Keine Experimente» war paradigmatisch für eine Zeit, in der man eigentlich hätte experimentieren können und sollen. Heute scheint es wieder sehr ähnlich abzulaufen. Man könnte eine Fülle von Parallelen finden zwischen dem, was in der Nachkriegszeit im Westen geschah, und dem, was heute im Osten geschieht. In ihrem Buch «Die Unfähigkeit zu trauern» machen Alexander und Margarethe Mitscherlich beispielsweise auf die «Blitzwende» aufmerksam. Viele Leute waren in Null Komma nichts im neuen System große Demokraten, nachdem sie kurz zuvor noch Nazischergen gewesen waren. Eine solche Blitzwende kann man heute bei Stasileuten ganz ähnlich beobachten. Ein Wiederholungsphänomen beginnt sich abzuzeichnen, und es sieht sehr danach aus, als ob wir uns eine dritte Schuld einhandeln.

Maaz: Der Vergleich mit uns, daß Angst konservatives Verhalten verstärkt, ist sicher richtig. Auch hier gab es den Slogan: «Keine

* Ralph Giordano: Die zweite Schuld, Hamburg 1987, München 1990.

sozialistischen Experimente mehr!» Und daß die CDU so häufig gewählt wurde, lag nicht an den politischen Überzeugungen, sondern geschah vor allem aus der Angst und Verunsicherung heraus – die West-CDU schien den Menschen damals am besten Sicherheit und schnellen Wohlstand zu verheißen. Den Wahlergebnissen zufolge müßte etwa knapp jeder zweite CDU gewählt haben; wir haben uns hinterher den Spaß gemacht und öfters herumgefragt – nicht repräsentativ, das meine ich mehr anekdotisch –, doch von den Befragten wollte es keiner gewesen sein. Es spricht deshalb viel dafür, daß die Menschen mehr aus unterschwelligen psychologischen Gründen als aus einer politischen Haltung heraus CDU gewählt haben. Der Vorsitzende der Ost-CDU, Lothar de Maizière, hatte ja ganz deutlich erklärt, er sehe nur *eine* politische Aufgabe für sein Amt, die DDR so «schnell wie nötig und so gut wie möglich» – ich hoffe, daß ich das Zitat richtig erinnere – in die Vereinigung hineinzuführen. Das heißt, daß er sich selbst nicht mehr Autorität zugetraut hat, als die verliehene Macht so schnell wie möglich wieder loszuwerden. Die Unsicherheit und Schuld des Volkes war damit vorbildhaft ins Bild gesetzt, und es war klar, daß es keine wirkliche Aufarbeitung, kein ernstes Nachdenken geben sollte. Es ging einzig und allein darum, uns so gut wie möglich hinüberzuretten und «mit neuem Optimismus voran» unsere Vergangenheit zu vergessen. Welche irrationalen Kräfte dabei am Werk waren, wird deutlich, wenn ich bedenke, wie sich eines der wichtigsten Argumente für die schnelle Vereinigung, die Massenflucht zu stoppen, selbst ad absurdum geführt hat. Was wir heute erleben, ist die Desertion eines ganzen Volkes. Obwohl wir durch die Vereinigung gleichsam alle in den Westen geflohen sind, wächst die innerdeutsche Übersiedler- und Pendlerwelle von Ost nach West immer weiter an, weil jeder auf der verbissenen Suche ist, im Wohlstand doch noch Trost zu finden. Für die soziale Krise, in die wir immer tiefer hineinschlittern, sehe ich drei Schuldige: die alte Mißwirtschaft der SED, unser eigenes verblendetes, selbstschädigendes Konsumverhalten – als das äußere Symptom einer inneren Not – und die totale Fehleinschätzung der Situation durch die westdeutschen Politiker, die ihrerseits aus Machtinteressen und psychischer Abwehr zur kritischen Wahrheit gar nicht mehr in der Lage sind. Ein gemeinsamer, beide Seiten verändernder Weg wurde nie ernsthaft ins Auge gefaßt, und die dritte Schuld der Deutschen scheint damit schon wieder geschehen zu sein.

Moeller: Daß die politische Orientierung konservativ wird in dem Augenblick, in dem Krisen vorherrschen, ist weithin bekannt. Aber die konservative Orientierung hängt nicht nur mit der äußeren Krise zusammen, sondern auch mit einem Zustand innerer Krisen. Das bedeutet: Menschen, die besonders stark unter inneren Krisen und Konflikten leiden und einen großen Abwehrpanzer dagegen aufrichten, wählen in der Regel konservativ. Wir haben einmal in einer Erhebung einen deutlichen Zusammenhang zwischen Krankheitsauffassungen, Behandlungserwartungen, Arbeitsverhalten und politischen Einstellungen feststellen können. Wer beispielsweise der Auffassung ist, daß sein Leiden, das ihn zum Psychotherapeuten führt, primär somatisch verursacht ist, etwa durch ein verstecktes körperliches Leiden, das man nur noch nicht gefunden hat, wer also die Psychogenese, das heißt die seelischen Bedingungen seiner inneren Störung abwehrt, verleugnet und damit nichts zu tun haben will, wer also somatisiert, verhält sich auch politisch konservativ. Diese Leute erwarten als Behandlung eine strikte autoritäre Führung und Reglementierung. Sie wollen immer zum Chefarzt und genau gesagt bekommen, was sie zu tun haben. Die anderen hingegen, die offener sind und das Empfinden haben, ihre Behandlung läge eher in einem freien Dialog, um zu erkennen, was mit einem los ist, verhalten sich auch politisch nicht konservativ. Die Konservativen zeigen zumeist auch ein glänzendes Arbeitsverhalten, das allerdings stark abgekoppelt von der eigenen emotionalen Lage ist. Mit anderen Worten: Ich vermute, daß die Wahl einer linken oder rechten Partei einem seelischen Symptom gleichkommt. Wer rechts wählt, versucht eine deutlichere Abgrenzung, eine stärkere Abwehrschranke nach innen aufzubauen, während die, die eher links wählen, auch sich selbst zumindest zur Debatte stellen. Die Auseinandersetzung mit sich selbst ist aber die Voraussetzung für die innere, die innerseelische Demokratisierung des einzelnen. Hinzu kommen sicherlich noch weitere Momente. Die Linken haben beispielsweise häufiger Probleme mit ihren Eltern, vor allem mit dem Vater, vermutlich aufgrund der offeneren Auseinandersetzung. Sie sind aus diesem Grunde auch nicht so autoritätsfixiert. Die ganze Familiendynamik schlägt sich, wenn man so will, am Ende im Wahlverhalten nieder, so daß eine raffinierte Partei nur in der ihr dienlichen Weise für die ersten sechs Lebensjahre der Menschen sorgen müßte, um später gewählt zu werden. Vielleicht ist es aber ganz gut, daß diese Befunde so wenig bekannt sind.

Maaz: Auf den ersten Blick erscheint es paradox, daß das, was das SED-Regime in den ersten Lebensjahren in den Menschen bei uns angerichtet hat, die Unterdrückung der Gefühle und die Abpanzerung der Innenwelt, nun in der Folge dazu führt, daß hier überwiegend konservativ gewählt wird. Oberflächlich handelt es sich um eine Anti-Reaktion, und doch folgt sie dem gleichen Muster: Zur Autoritätsabhängigkeit genötigt, werden diejenigen gewählt, die stark sind und mehr Unterwerfung garantieren, damit niemand sein eigener Führer werden muß. Und die Karrieristen unseres Systems mit ihren typischen Charakterstrukturen verstehen sich glänzend mit den Karrieristen eures Systems; sie lassen sich tatsächlich «blitzwenden» und beliebig austauschen. Ich fürchte aber, daß die unbewältigte innere Problematik bei krisenhaften Zuspitzungen nach immer größeren und stärkeren Führern rufen lassen könnte, um den weiter anwachsenden Gefühlsstau in Schach halten zu können.

Moeller: Ja, so wie in der Nachkriegszeit bei den Westdeutschen, als eindeutig die konservativen Regierungen überwogen. Auch die Zeit der sozialdemokratischen Regierungen war teilweise geprägt durch eine eher rechte Politik. Auf der anderen Seite könnte ich mir auch gut vorstellen, konservativ zu wählen, wenn ich über Jahrzehnte eine scheußliche Variante des linken Spektrums als Regierung vor mir hatte. In dem Augenblick, in dem ich zum erstenmal frei wählen kann, wähle ich konservativ als Protest gegen das Regime, von dem ich einfach die Nase voll habe. Mit eine Rolle bei den letzten Bundestagswahlen spielte aber auch das spezielle Anliegen des vielleicht zu differenziert argumentierenden Lafontaine; sicherlich wollte er mit dem Aufschub der Vereinigung dem politischen Wachstum Zeit und auch den Ostdeutschen eine Chance für die innere Demokratisierung geben, doch hat er meines Erachtens zu wenig berücksichtigt, daß man als Angehöriger eines solchen Regimes sehr unter Druck stand und jeder sich sagen mußte: Wenn ich jetzt noch warte, geht mir womöglich diese einmalige Chance wieder verloren. Ich denke mir, eine solche Angst hätte ich wohl auch empfunden. Jetzt oder nie – nach diesem Motto hätte es mich wohl auch gedrängt, sofort zuzupacken. Zweitens – und ich glaube, diese emotionale Ebene konnte Lafontaine zu wenig realisieren – brachte die Wiedervereinigung auch ein solches Glücksgefühl mit sich, daß man diese seelische Entlastung auch möglichst schnell genießen wollte. Da hat das Herz den Kopf überrollt. Das ist mein Empfinden.

Nach dem Wiedervereinigungsrausch und nach dem Entsetzen, was da alles an Dunklem auf mich zukommen könnte, ist für mich das entscheidende Gefühl gewesen, daß uns in dem Augenblick, in dem wir wieder *ein* Deutschland sind, zugleich die große Chance gegeben ist, die immer wieder verdrängte Vergangenheit aufzuarbeiten. Denn was uns im Westen wie im Osten vereint, ist die Nazivergangenheit. Tatsächlich beginnt stellenweise bei uns im Westen in dieser Zeit eine Bewegung zur Aufarbeitung der Nazivergangenheit. Im Medizinstudium fahren wir zum Beispiel zu den Konzentrationslagern, um das Problem der Euthanasie aufzuarbeiten. In der Psychoanalyse hat man sich schon früher dazu durchgerungen, sich der Vergangenheit zu stellen. Es scheint sich da ganz langsam etwas seelisch zu öffnen. Ich meine, das hängt wohl sehr damit zusammen, daß die Frauen und Männer der ersten Schuld, die noch unmittelbar das Naziregime mitgeformt haben, ausgestorben sind. Jetzt ist die zweite Generation dran. Und doch möchte auch heute keiner gern an diese Zeit erinnert werden. Auch scheint mir die Art der Aufarbeitung teilweise sehr klischeehaft zu sein. Es nützt nichts, daß ich durch ein Kozentrationslager gehe...

Maaz: Damit haben wir genügend schlechte Erfahrungen gemacht bei uns. Jede Schulklasse wurde durch ein Konzentrationslager geschickt – gebracht hat es überhaupt nichts. Um mein Buch zu schreiben, war gerade die bittere Erkenntnis ein starkes Motiv, daß politische und ökonomische Veränderungen, wie sie nach 1945 bei uns eingeleitet wurden, und ein verordneter Antifaschismus noch überhaupt nichts darüber aussagen, was wirklich in den Menschen und in ihrem Zusammenleben los ist. Faschismus hat etwas mit innerseelischen Strukturen, mit dem Charakter zu tun. Und bei uns schlummert hinter der Fassade von Tüchtigkeit, Höflichkeit und vor allem von Disziplin und Ordnung unverändert und massenhaft ein gewaltiges Aggressionspotential mit viel Angst, das jederzeit bereit ist, wieder auszubrechen, wenn es möglich wird oder bei Krisen und der dann zugespitzten Angst und Not. Anzeichen dafür lassen sich jetzt schon genügend beobachten. Die Aufarbeitung der Vergangenheit ist weder durch Propaganda noch durch ein Grundgesetz, noch durch intellektuelles Verstehen möglich, sondern nur, wenn jeder seine faschistischen Strukturen bei sich selber erkennt und offenlegt, was an innerem Faschismus vorhanden ist.

Moeller: Ich meine, mit innerem Faschismus ist primär die eigene narzißtische Störung gemeint, die durch eine panische Ohnmacht charakterisiert ist…

Maaz:…und durch tiefe Kränkung, die Wut staut und Schmerzen verursacht. Um dies nicht erleben und erleiden zu müssen, sucht man nach Opfern, die für schuldig erklärt werden können. Sündenböcke und Feindbilder sind für mich immer Ausdruck der eigenen seelischen Not, und diese findet leicht irgendeinen kleinen Makel am Nachbarn, mit dem die Ablehnung scheinbar plausibel gemacht wird. Auch der Golfkrieg ist ein Beispiel dafür, wie sich zwei unversöhnliche Parteien gegenüberstehen, die beide für sich das Recht in Anspruch nehmen und aus ihrer jeweiligen Perspektive glaubhafte Gründe gegen den anderen anführen können – so unlösbar, daß Krieg entsteht, mit neuem unerträglichem Leiden und der Bedrohung der ganzen Welt. Man kann sich nur ausmalen, welche seelischen Kräfte im Verborgenen der Menschen walten, daß sie sich auf diese Weise gegenseitig den Tod bringen – Todesängste und mörderische Impulse, die sie selber nicht wahrnehmen können und auch nicht wahrhaben wollen. Solche existentiell-bedrohlichen Gefühle weisen stets auf sehr frühe lebensgeschichtliche Erfahrungen hin, wenn schon geringe Versagungen einen Kampf um Leben und Tod bedeuten können. Um sich von solchen tiefen Kränkungen und Verletzungen zu entlasten, erklären die Menschen andere für schuldig.

Moeller: Unter dem gewaltigen Schulddruck unterliegt man leicht der Versuchung, mit besonderem Nachdruck zu zeigen, welche Greuel auch anderswo in der Welt geschehen: der Genozid an den Kurden, das Ausrotten des armenischen Volkes oder der sowjetische Gulag... Aber typisch deutsch ist meines Erachtens die Industrialisierung des Massenmordes, die gesellschaftliche Perfektion und die emotionale Abkoppelung des Schreckens, diese merkwürdig hochorganisierte, bürokratische Form des Tötens und der Brutalität, die schlimmer ist als «bloßer» Sadismus.

Maaz: Diese Form von potenziertem Sadismus ist nur möglich, weil eine Großzahl der Menschen von ihrem eigenen Erleben abgeschnitten ist. Sie fühlen nicht mehr, was sie tun. Nur so war es möglich, daß jemand den ganzen Tag im KZ töten konnte und abends nach Hause kam und «liebevoll» zu seinen Kindern war oder aufopfernd seine Haustiere pflegte. Die Voraussetzung dafür ist die totale Abspaltung des bösen Tuns vom Gefühl. Auch die «Zuneigung» zu Tieren oder Kindern ist bei einer solchen Disposition nicht wirklich echt, sondern gehört zur Elternpflicht, die wie das Töten auf Befehl auftragsgemäß erfüllt wird. Es gab dieses Phänomen in einer anderen Variante auch in der DDR als Massenerscheinung. Die toten und stinkenden Flüsse, die verpestete Luft, die einfallenden Häuser, die verlogene und verdorbene Moral der führenden Partei – dies alles haben wir zwar wahrgenommen, aber nicht mehr gefühlt. Wir haben unsere Angst, unsere Empörung und unsere schuldige Beteiligung verdrängt, so wie wir es von früh auf gelernt hatten. Das ist für mich Faschismus – das Abtrennen des Handelns vom emotionalen Erleben, also das Abtöten der Gefühle.

Moeller: Psychoanalytisch gesehen erinnert das an die Abwehrmethode der Isolierung, bei der seelische Vorstellung und Affekt voneinander getrennt werden. Diese Form der Abwehr gehört in den Bereich des analen Charakters, der maßgeblich die preußischen Werte wie Sauberkeit, Pünktlichkeit oder Ordentlichkeit prägte. Solche analen Momente charakterisieren Deutschland mit Sicherheit auch als ganze Nation. Aber sie reichen nach meiner Meinung nicht zur Erklärung aus. Ich denke mir, daß hier etwas viel Fundamentaleres geschieht, nämlich ein Splitting, bei dem eine bestimmte Seite der Person mit einer anderen Seite der Person einfach nicht mehr in Berührung kommt. Ich sehe das als eine tiefe narzißtische Störung an, die sich natürlich nicht erst zur Hitler-Zeit herausgebildet hat. Sie war schon vorher angelegt und hat unter anderem sicherlich etwas damit zu tun, daß wir nie eine einheitliche Nation aus uns selbst heraus geschaffen haben – wie etwa die Franzosen in der Französischen Revolution. Wir sind immer ein Vielvölkerstaat gewesen – beginnend beim Heiligen Römischen Reich Deutscher Nation –, der erst spät durch Bismarck, also von oben, zu einem Nationalstaat geformt wurde. Unmittelbar darauf, im Kaiserreich, begann bereits der Größenwahn auf dem Hintergrund der latenten Ohnmachtsgefühle der Deutschen. Er mündete in den Ersten Weltkrieg, auf den die Kränkung der Niederlage folgte. Die brüchige nationale Identität und die tiefe Weltwirtschaftskrise ließen diese grundlegende narzißtische Störung in die Nazi-Katastrophe münden. Nur so wurde es möglich, daß die Juden nicht nur unser Feindbild waren, sondern daß wir sie tatsächlich maschinell vernichteten.

Maaz: Aber die Frage ist, woher stammt diese frühe narzißtische Störung. Was die Verhältnisse in der DDR anbetrifft, sehe ich als Ursache vor allem das Trennungstrauma an – die schwere Deprivation durch die Trennung von Mutter und Kind schon bei der Geburt, die fortgeführt wurde durch die Kinderkrippen und die permanente emotionale Nicht-Annahme und Nicht-Bestätigung. Ich bin in der Therapie bei vielen Menschen auf schwerste Verlassenheitsängste gestoßen – aber ist dies nur ein deutsches Phänomen?

Moeller: Mich bewegt diese Frage im Rahmen eines Buchprojektes «Narzißtische Störung deutscher Nation». Die wichtigste Annahme lautet, daß diese unselige seelische Grundlage nur langfristig historisch abzuleiten ist. Wir bleiben zu sehr stehen bei der singulären, individuellen Lebensgeschichte, die sich zum nationalen Phänomen türmt – beispielsweise die frühe Separation. Eine einzige Generation reicht nicht aus, um dieses Verhalten der Deutschen zu erklären, sondern es ist in einem längeren historischen Zeitraum angewachsen. Nach meinem Dafürhalten ist das preußische Element, das uns alle infiltriert hat, wesentlich. Aber auch das erklärt nicht alles. Man müßte versuchen, sehr sorgfältig nachzuvollziehen, wie der Wandel der seelischen Entwicklungsbedingungen in Deutschland über einige Jahrhunderte verlaufen ist, zumindest ab Mitte des 18. Jahrhunderts. Eine zentrale Rolle spielen meiner Meinung nach auch die plötzliche und schnelle Industrialisierung in der Kaiserzeit sowie die spezifische Neigung der Deutschen, sich an Funktionen zu binden – weil sie vor sich selber Angst haben und um wenigstens durch Leistung Anerkennung zu bekommen. In meinen Augen bildete letztendlich ein besonderes frühkindliches, familiendynamisches Klima den Nährboden dieser gesellschaftlichen Entwicklung bis Auschwitz. Vielleicht wurde die funktionale Leistung schon lange an die Stelle von Liebe gesetzt. Aber warum sich das gerade in unserer Nation so entwickelt hat, ist mir noch ein Geheimnis. Ich denke mir, auf die wirkliche Trauerarbeit kommt man erst, wenn man wenigstens einmal akzeptiert, daß und wie etwas geschehen ist. Wie man aber am Beispiel Westdeutschlands sieht, wird auch von sehr reflexionsbereiten Intellektuellen immer wieder versucht, unsere Schande zu relativieren. Mit anderen Worten: Wir nehmen die Schuld noch gar nicht auf uns und sagen damit soviel wie, wir hätten in dieser Zeit nicht gelebt. Auf diese Weise können wir aber erneut keine Identität bilden.

Maaz: Das Argument, daß faschistische Tendenzen überall in der Welt vorkommen und keineswegs typisch deutsch sind, empfinde ich als Abwehrversuch, um der eigenen Betroffenheit zu entkommen. Auch in der ehemaligen DDR sind wir – wie nach dem Dritten Reich – wieder einmal nur ein Volk von Opfern – selbst SED-Genossen nehmen das für sich in Anspruch. Und das Auffällige daran ist, daß wir in dieser Haltung gerade von westdeutscher Seite stark unterstützt werden. Die ersten Rufe nach einer Generalamnestie kamen bezeichnenderweise von westlichen Politikern – noch bevor überhaupt angefangen worden war, Schuld zu erkennen oder Schuldige zu benennen.

Moeller: Auch ich habe den Verdacht, daß dieser Ruf nach Generalamnestie – auch aus dem Westen – darauf beruht, die eigene Schuld nicht zugeben zu können. Genauso war das Verfahren in der Nachkriegszeit. Unter der ersten Bundesregierung haben ja, von Adenauer bis zu den Gerichten, alle mitgewirkt, daß für zahllose Naziverbrecher indirekt eine Art Generalamnestie zustande kam. Ganz offiziell profitierten auch SS-Leute von einem Gesetz zur Fürsorge, zur Regelung und zur Wiedereinstellung ins Beamtentum. Das eben nennt Ralph Giordano die zweite Schuld der Deutschen. Wir haben nicht dafür gesorgt, daß Verbrecher, die wirklich Verantwortung trugen, bestraft wurden. Vielmehr haben wir sie in unserem sogenannten «Volkskörper» – das sage ich jetzt mit einem gewissen Zynismus – wieder aufgenommen. Jetzt wiederholt sich das in Deutschland.

Maaz: Das Theater um die Stasi-Akten macht dies exemplarisch deutlich. Den meisten wäre es am liebsten, sie würden einfach verschwinden – Schwamm darüber und auf ein neues im alten Spiel. Das Gerede von der Notwendigkeit der Vergebung und Versöhnung, die «Sorge», man dürfe die Akten nicht herausgeben, weil dadurch der innere Frieden zerstört würde, diese ganzen «Argumente» für einen sogenannten Schlußstrich unter die Vergangenheit erscheinen mir sehr heuchlerisch. Vergebung und Versöhnung können nach meiner Erfahrung erst *nach* Schuldbekenntnis und Sühne kommen. Zum anderen geben gerade die Stasi-Akten ein ziemlich genaues Bild von den vielfach unvorstellbar gestörten und verlogenen Beziehungen in unserem Volk. Selbst gefälschte Akten sind noch ein Ausdruck dieser Verhältnisse, die die unsrigen waren und so lange bleiben werden, bis wir uns der Wahrheit gestellt haben. Ich lasse nur solche Überlegungen gelten, die ernsthaft über das Tempo und die Dosis der notwendigen Offenlegung reflektieren, aber die Vernichtung dieser Akten würde nur der Verleugnung und der Fortführung des Übels dienen. Erst wenn wir bereit sind, unsere eigenen faschistischen oder stalinistischen Strukturen zu erkennen, jeder ganz für sich persönlich, dann könnten wir von einer Vergangenheitsbewältigung sprechen. Ich verstehe jetzt, weshalb das auch der Westteil unseres Landes genausowenig will wie wir selbst: Es wäre eine Bedrohung für alle und eine Erinnerung an unsere gemeinsame unbewältigte Vergangenheit.

Moeller: Das leuchtet mir sofort ein. Ihr sagt jetzt schnell «Schwamm drüber», weil ihr diese Vergangenheit noch selber in den Knochen habt. Es gibt aber auch die Gefahr, daß man mit starren Augen auf die Aufarbeitung der DDR-Geschichte blickt, um damit – gewissermaßen als kleineres Übel – der schwereren Last der...

Maaz: ...der Gesamtdeutschen...

Moeller: ...ja, der Gesamtdeutschen zu entgehen. Dadurch, daß wir wieder Gesamtdeutschland geworden sind, sind wir auch auf die gesamtdeutsche Schuld zurückgeworfen – das muß in jedem von uns als Grundgefühl vorgehen. Ich denke mir, daß die jetzige dritte Generation die erste ist, die so viel Abstand von den damaligen Ereignissen hat, daß sie unter Umständen die Angst, die Scham und die Schuldgefühle auf sich nehmen kann. Vielleicht war der Pegel von Angst und Schuld angesichts dieses Grauens einfach zu hoch für die meisten der ersten Generation. Ich war damals noch ein Kind. Ich kann nicht sagen, wie ich mich im Naziregime verhalten hätte, wenn ich als Älterer in diese Welt hineingewachsen wäre. Nur eine sehr differenzierte, subtile Aufarbeitung kann beantworten, wie es überhaupt dazu kommen konnte, daß wir so handelten. Jetzt haben wir für diesen Prozeß die angemessene, die gesamtdeutsche Plattform.

Vielleicht am Ende noch eine Grundfrage, die wir bisher vernachlässigt haben: Warum wollen wir beide uns eigentlich vereinigen? Welchen Grund gibt es überhaupt dafür, die menschliche Vereinigung zu wollen? Es gibt ja auch einen deutlichen Widerstand dagegen, wir haben ihn selbst benannt: Ihr sagt, laßt uns zufrieden, und wir sagen, wir wollen von euch nichts wissen. Auch darüber muß man nachdenken.

Maaz: Zunächst zu deinem ersten Gedanken: Durch die Spaltung Deutschlands hatten wir die zweifelhafte Gnade, unsere eigene Schuld durch gegenseitige Projektionen abwehren zu können. Statt innerer Schulderkenntnis erlaubten uns die Feindbilder des «Kalten Krieges» neue äußere Schuldzuweisungen – von West nach Ost und von Ost nach West. Diese Möglichkeit geht jetzt zu Ende. Die offiziellen Feindbilder sind zusammengebrochen, aber nicht die inneren – jene Strukturen, die wir beschrieben haben. Diese brauchen weiterhin die Abreaktion über Sündenböcke, um nicht die eigene Sünde zu fühlen.

Deshalb haben sich längst wieder neue Feindbilder aufgebaut: die Ossis, die erst mal richtig arbeiten lernen müßten – und die Wessis, die uns nur dominieren und «über den Nippel» ziehen wollen. Das aber ist für mich ein wesentlicher Grund, das persönliche Gespräch, die Verständigung zu suchen. Was mir mit dir gelungen ist, tut mir gut. Wir verständigen uns, indem wir von uns selber sprechen. Wenngleich wir noch nicht sehr persönlich geworden sind, haben wir uns doch über unsere sozialen Erfahrungen und politischen Haltungen ausgetauscht. Es gefällt mir, wenn du mir zuhörst und bemüht bist, mich zu verstehen. Ich fühle mich nicht belehrt oder mit meinen Erfahrungen abgewiesen. Und ich höre dir umgekehrt mit Interesse zu. Keiner von uns will recht haben, sondern wir bemühen uns, die uns beide berührenden Themen mit unseren unterschiedlichen Erfahrungen zu belegen. Ich erfahre Neues und kann mich selber entfalten. Und die Erfahrung, daß du an meiner Meinung und an mir interessiert bist, hilft mir, mich nicht nur als Gescheiterter zu empfinden, als bedauernswerter Ossi, der so furchtbar ärmlich und eingeengt hat leben müssen. Trotz deutlicher Unterschiede gibt es innerlich auch viele Ähnlichkeiten zwischen uns, was sicher nicht zuletzt mit unserem Beruf zu tun hat, durch den wir auf das Zuhören und Verstehen eingestellt sind. Aber genau diese Eigenschaften sind entscheidend für die Bereitschaft, sich zu öffnen und ehrlicher zu werden. Als DDR-Bürger bin ich zweifellos schuldig geworden durch Mittun, durch Dulden und durch Schweigen, und mir hilft dabei wenig, daß andere noch schuldiger sind als ich. Aber du nimmst mich mit meiner Vergangenheit ernst, versuchst, sie zu verstehen – das tut mir einfach gut.

Moeller: Das höre ich gern. Ich empfinde jetzt ein neues Glück, die Zwiegespräche entwickelt zu haben, weil es mir ohne diese Zwiegespräche gar nicht möglich gewesen wäre, mich so eng mit anderen Menschen verbunden zu fühlen. Auch dieses Gespräch habe ich so erlebt. Wir duzen uns inzwischen sogar, was ein Zeichen dafür ist, daß sich in uns seelisch noch sehr viel mehr ereignet hat, als die bloßen Worte es ausdrücken. Aber ich frage mich noch einmal: Weshalb bin ich überhaupt an der menschlichen Vereinigung interessiert? Auf welche Weise bin ich denn mit einem Friesen vereinigt? Oder mit einem Bayern? Was soll das heißen – mit Ostdeutschland menschlich vereinigt zu sein? Ihr habt eure Bundesländer, wir haben unsere Bundesländer, und wir werden so weiterleben wie bisher – eine so trockene, realistische Auffassung ist auch in mir zu finden. Und doch habe ich den deutlichen Wunsch, mich zu vereinigen. Ich glaube, es ist mein tiefer, seelischer Wunsch, nach der politischen und zusätzlich zur hoffentlich bald kommenden wirtschaftlichen Vereinigung, also nach der äußeren Vereinigung auch die innere Vereinigung zu vollziehen. Als wäre das für mich eine innere Aufgabe. Was ich spontan im Wiedervereinigungsrausch der ersten Wochen als Schließen einer Wunde erlebt habe – so kommt es mir vor –, möchte ich durch eigene seelische Arbeit vollziehen. Es gibt auch eine ganz direkte Neugier in mir; ich bin einfach neugierig, zu hören, wie es denn hier in diesem Verlies gewesen ist. Darüber hinaus gibt es aber deutlich davon unterschieden einen seelischen Sog – als wenn ich den Weg zur Heimat wiederfände. Das muß ich einmal in dieser fast kitschig anmutenden Weise sagen.

Das bedeutet für mich auch eine Art von Schuldabtragen. Wir sind so lange voneinander getrennt gewesen. Ich habe noch die Zeit erlebt – obwohl ich sie als Kind im Kopf natürlich gar nicht richtig miterlebte –, in der es kein gespaltenes Deutschsein gab. Ich kann deswegen diese Teilung nicht akzeptieren. Ich möchte sie einfach nicht. Ich möchte mich identifizieren, mich einfühlen können. Ich möchte sozusagen die andere Seite miterleben können – sosehr diesem Wunsch natürlich auch Grenzen gesetzt sind.

Maaz: Was meint denn eigentlich der Begriff «menschliche Vereinigung»? Ich denke dabei zunächst an sexuelle Vereinigung, an eine enge Freundschaft – und wir sind uns ja tatsächlich freundschaftlich nahegekommen. Ist es nicht so, daß jeder von uns im anderen gerade solche Seiten von sich selbst erkennt, die er bisher mehr oder weniger abgewehrt hat? An dir gefällt mir zum Beispiel die ausgeprägte Individualität, der liebenswerte Eigensinn, und natürlich die angenehme Weltgewandtheit. Um meine eigene Individualität aber ringe ich in diesem System von Anfang an, und der immer wieder gehemmte Wunsch zu expandieren ist wohl ein wesentlicher Grund so mancher Symptome und Konflikte, die ich durchgemacht habe. Im Kontakt mit dir empfinde ich beide Problembereiche meiner Person als vermindert, weil du mich in meinem konstruktiven Eigensinn und in meinem Expansionswunsch bestätigst.

Moeller: Vielleicht paßt es jetzt, wenn ich noch einmal skizziere, wie ich das Verhältnis zwischen BRD und DDR plötzlich mit dem klassischen Verhältnis eines bundesrepublikanischen Paares in Zusammenhang brachte. Die Frau gilt darin im wesentlichen als zwanghaft und depressiv – beinahe wie das Selbstbild eines klinisch kranken Menschen. Der Mann hingegen scheint vor glänzender Gesundheit zu strotzen und zeigt eine hohe Neigung zu konkurrieren – im Prinzip ein Herzinfarkt-Mensch, der von seelischen Dingen nicht viel wissen will. Die Frau erscheint als Kranke, weil sie leidensfähiger ist und unbewußt sehr viel deutlicher wahrnimmt, was in der Beziehung vorgeht.

Maaz: Sie lebt etwas, was er nicht leben kann, und er entwickelt statt dessen einen Herzinfarkt...

Moeller: ...Ja, doch beide repräsentieren jeweils eine andere Seite ein und derselben gemeinsamen Grundangst. Der Mann erscheint gesünder, obwohl er kränker ist, wie die Frau kränker scheint, obwohl sie gesünder ist – das kann man direkt auf das Verhältnis zwischen BRD und DDR übertragen. In allen Beschreibungen – vor allem in deinem Psychogramm der DDR, in dem du die Polaritäten beginnend bei arm und reich zusammenstelltest – läßt sich eine Kollusion, ein unbewußtes Zusammenspiel zwischen DDR und BRD erkennen. Diese Kollusion spiegelt sich exakt in dem klassischen deutschen Paar wider. Auf unserer Seite war die seelische Lage eher hypomanisch unbesorgt, auf eurer Seite eher depressiv. Insofern ist es richtig, wenn du sagst, eine Motivation, eine Sehnsucht von mir sei es, mich zu einem ganzeren Menschen, also zu einem ganzeren Deutschen, zu machen, indem ich zu dir komme und ich mich mit dir in ein Zwiegespräch begebe.

Maaz: Und wer bin ich für dich? Welchen Teil von dir, den du bisher halt nicht leben konntest, verkörpere ich für dich?

Moeller: Als Gewinn erscheint mir, daß ich meine unter meiner eigenen Verdrehung verlorene Menschlichkeit hier in einer anderen Verdrehung wiederentdecke. Ich entdecke einerseits, alles ist hier mehr auf dem Boden, das äußere Leben ist reduzierter, nicht so abgehoben, so daß ich mich plötzlich intensiver fühlen kann. Wenn ich aus dem Fenster blicke, lenkt mich kein flirrender Glanz von mir selber ab. Ich bleibe bei mir, und das ist mir ein sehr angenehmes Gefühl. Gleichzeitig stoße ich aber durch deine Gespräche auf viel Entsetzliches, was ich mir so intensiv habe gar nicht vorstellen können. Ich sehe dabei gleichsam eine andere Variante meiner selbst – eine auch verdrehte, vor allem aber andere Variante. Durch den Vergleich zwischen dir und mir entdecke ich sozusagen den gemeinsamen Nenner der verschütteten Menschlichkeit. Das ist vielleicht meine wichtigste Motivation.

Maaz: Was das Menschliche anbetrifft, habe ich genauso die Sehnsucht, offener und letztlich einfacher leben zu können, als es uns abverlangt wird, und ich sehe, wie auch ich leider noch viel zuviel mitspiele. Das Gespräch zwischen uns hilft mir aber zugleich, mein Minderwertigkeitsgefühl etwas zu vergessen. Ich fühle mich durchaus von vielen Menschen geschätzt und auch in meiner Arbeit sehr bestätigt, doch Kritik wirkt mitunter wie ein schmerzlicher

Stachel, der in alte Wunden sticht. Letztlich sind diese verursacht durch die tiefe Verletzung, von den Eltern, in der Erziehung und in diesem Gesellschaftssystem nie so angenommen und verstanden worden zu sein, wie ich es gebraucht hätte. Gegen diese kindliche Kränkung hilft auch beruflicher Erfolg nichts, er kann nur ablenken und kompensieren. Aber in dem Gespräch mit dir fühle ich mich auf einmal angenommen und verstanden und spüre mit Wehmut, wie sehr ich das auch früher gebraucht hätte. Dieses Gefühl wiederum empfinde ich als heilend.

Moeller: Ich erlebe uns plötzlich als eine Solidargemeinschaft. Wir haben eine gemeinsame Not: die Entselbstung. Diese symbolisiert sich beispielhaft darin, daß wir als Staaten sowohl im Westen wie im Osten führend sind im Mangel an Kindern. Für mich ist das wirklich ein Symptom dieser absterbenden Lebendigkeit, eine Parallele zur Beziehungsschwäche. Gemeinsam haben wir eine größere Chance, uns über den Verlust unseres Lebens und unseres Selbstes Gedanken zu machen – und auch Konsequenzen daraus zu ziehen –, weil wir uns jetzt in zwei Varianten sehen können. Ich kann mich aus meinem eigenen Selbst herausbewegen, indem ich mich mit dir identifiziere, und entdecke dadurch plötzlich bei mir etwas, das tief verborgen im Hintergrund lag. Ich nehme an, daß es dir auch so geht. Wir entdecken unser ganzes Selbst erst durch das Entdecken der unterschiedlichen Verkrümmungen.

Die dritte Schuld der Deutschen

Reflexionsgespräch

Über Nähe, Vertrauen und die Sehnsucht nach Führung – über Streß, Verwestlichung und neue Unterwerfung – über das plötzliche Ende des seelischen Aufbruchs im Osten und die Schwierigkeit, sich mit sich selbst zu vereinigen – über die gescheiterten Revolutionäre von 1968 und 1989 – über die Scham, ein West-Auto zu fahren, und die Verlockungen des Wohlstandes – über die Verschiebung der Feindbilder und die Wiederkehr der NS-Vergangenheit – über die Angst vor dem Frieden und die Ohnmacht in der Politik – über den sexuellen Leistungsdruck und den Erfolg esoterischer Sekten in Ostdeutschland

Maaz: Wenn wir darüber reflektieren, welche Themen wir in unseren Zwiegesprächen berührt oder ausgelassen haben und was dabei in uns vorgegangen ist, fällt mir als erstes die Frage nach unserer eigenen Beziehung ein. Wie sind eigentlich – vielleicht ist diese Frage typisch für einen Bürger aus der ehemaligen DDR – die «Machtverhältnisse» zwischen uns? Ich erlebe dich in unseren Zwiegesprächen als führend. Die Initiative kam von dir, die Idee, daraus ein Buch zu machen, halte ich für typisch westlich, ebenso die Art und Weise, wie wir dabei vom Verlag unterstützt und gemanagt werden. Ich staune, was alles möglich ist. Ich bin fasziniert davon – und auch geängstigt. Ich fühle mich geehrt – fürchte aber auch, verbraucht zu werden.

Zugleich mache ich die Erfahrung, daß ich mich ganz gerne von dir führen lasse. Deine Art läßt mich das als angenehm empfinden. Dies ist für mich etwas ganz und gar Besonderes, denn ich bin wirklich «allergisch» gegen Führung. Meine Ablehnung und meine Empörung gegen bornierte und verlogene «Obrigkeit» sitzt tief. Ich empfinde ihr gegenüber oft einen regelrechten Haß und Ekel, was auf frühe Erfahrungen aus meiner Kindheit verweist. Wenn ich mich jetzt deiner Führung ganz gut überlassen kann, spüre ich auch eine tiefe, offensichtlich nie erfüllte Sehnsucht, *so* geführt zu werden, daß es gut für mich ist. Ich bin diesem Gefühl gegenüber ganz mißtrauisch, weil ich angefüllt bin mit solchen Erfahrungen – wie ich unter dem Druck, ich solle die Erwartungen anderer erfüllen, ich solle «der Sonnenschein» und für die Bedürfnisse anderer tüchtig sein, zur Unterwerfung verführt werden sollte. Ich habe sehr darunter gelitten, daß ich mich nie so verstanden empfand, wie ich es gebraucht hätte. Dies ist zwischen uns beiden anders. Es gefällt mir, daß ich mich zurücklehnen und zuschauen kann, wie du manches arrangierst – aber was ich im Moment als positiv empfinde, halte ich in den Beziehungen zwischen Ost- und Westdeutschen für ein Problem. Ich denke, daß wir uns zu schnell und zu leicht unterwerfen und die Westdeutschen offensichtlich auch großen Wert auf ihre dominante Rolle legen. Daß sie jetzt von vielen bei uns als neuer Machthaber empfunden werden, ist nur die logische Folge davon. Im Grunde sind die alten Rollen noch eskaliert: Die Wessis spielen sich auf, und wir kuschen erneut vor den Starken. Etwas von dieser Unterwerfung ist auch zwischen uns, aber ich empfinde es erstmals als ganz wohltuend. Ein ungestilltes Bedürfnis regt sich in mir – und vielleicht geht es ja vielen Menschen im Osten so.

Moeller: Die Grundlage unserer Beziehung ist also Vertrauen.

Maaz: Ich glaube ja.

Moeller: Was mich sehr beeindruckt hat, als wir den Text unserer ersten Gespräche durchgingen, war diese große Nähe. Stichwort: Du wirst mir «zu dicht». Wir haben ja im Zwiegespräch gesagt, das sei ein Zeichen dafür, daß sich sehr viel zwischen uns tut. Was uns in diesem Augenblick nicht bewußt wurde, war unser innerer Druck, uns menschlich zu vereinigen. Er steht letztendlich hinter dieser zunächst zu großen Nähe, die sich dann ja zu einem besonderen Zeitpunkt in der Entwicklung unserer Beziehung aufgelöst hat. Neu ist für mich aber diese Führungssituation, die ich gar nicht bemerkte. Ich habe mich nicht als Führender erlebt, wenn ich jetzt auch gespürt habe, daß sich für dich eine große Sehnsucht erfüllt, auf eine freundliche Weise geführt zu werden. Ich glaube, daß eine tiefergehende menschliche Beziehung zwischen uns beiden entstanden ist. Diese Erfüllung verborgener Sehnsüchte, wie sie zwischen uns möglich wurde – wenn du willst, auch auf dem Hintergrund einer sublimierten gleichgeschlechtlichen Sympathie –, ist so stark, daß sie zu dieser Nähe ebenfalls beigetragen hat. Dieses «Zu-dicht-Sein» könnte sich nach Art einer Kollusion, eines unbewußten Zusammenspiels zwischen uns beiden, hergestellt haben. Ich erlebte, das wird mir zu dicht, weil diese Sehnsucht bei dir hochkam und sich mir unbewußt vermittelte oder mich anregte.

Maaz: Mir wird jetzt auch meine Situation nach der «Wende» deutlicher. Im Grunde genommen war ich vorher ständig zur Zurückhaltung genötigt und zur Enge verdonnert. Ich war in diesem Staatssystem nicht beliebt und bei den Mächtigen nicht anerkannt. Ich habe mir meine Anerkennung immer mühsam erarbeiten müssen und damit das fortgeführt, was ich bei den Eltern bereits von früh auf lernen mußte. Mit der «Wende» bin ich *nach außen* expandiert: Ich habe in kurzer Zeit dreizehn Länder bereist, halte überall Vorträge, lerne viele Leute und Möglichkeiten kennen. Ich habe viel an Bedeutung gewonnen. Ich habe mich mit einem Buch herausgewagt und erfahre großes Interesse, viel Zustimmung, auch Ablehnung – das alles ist ungewohnt und verwirrend. Ich fühle mich geehrt, ich empfinde Stolz und Genugtuung und zugleich auch Angst, daß ich mich verführen lasse, aus meiner inneren Bedürftigkeit heraus Dinge zu tun, durch die ich mich auf neue Art und Weise von mir entferne. Mir fällt auf, daß ich mich zu häufig in Streßsituationen bringe, daß ich mit der Fülle der Möglichkeiten und Angebote schlecht umgehen kann und nicht genug für mich und meine Beziehungen sorge. Im alten System hatte ich mir – mühsam genug – bereits mehr inneren Freiraum erarbeitet. Dieser droht mir jetzt wieder zu entgleiten.

Moeller: Der Erfolg ist wie eine «Plombe» für die seelische Lücke, den inneren Mangel.

Maaz: Er ist ein Ersatz. Die schwierigen inneren Prozesse vernachlässige ich und zerstreue mich statt dessen nach außen. Ich verkaufe mich wegen der verlockenden Aufwertung und der äußeren Vielfalt. Ich denke, diese Anerkennung bin ich auch wert, und doch will ich es nicht recht glauben. Es fällt mir schwer, die unterschiedlichen Interessen, die auf mich gerichtet sind, nach ihrem Echtheitsgrad zu unterscheiden. Die Vermarktung von Gedanken, Gefühlen und Erfahrungen ist mir sehr fremd, und ich bringe die persönlichen und geschäftlichen Interessen noch häufig durcheinander. Ich werde mit den eigenen neurotischen Gehemmtheiten und Bedürfnissen aus der Vergangenheit konfrontiert – zugleich bin ich aber schon Opfer und Gewinner der neuen Lebensart. Weder die alte Enge noch die jetzige allzu große Weite befriedigen mich. Beide Lebensformen hindern mich daran, mich selbst zu finden oder bei mir zu bleiben.

Moeller: Du erlebst also eine «Verwestlichung», so wie wir sie in den Zwiegesprächen beschrieben haben. Im Westen wie im Osten leiden wir beide an ein und derselben Grundproblematik, allerdings in unterschiedlichen Gewändern und anderen Erscheinungsformen. Daran zeigt sich, daß wir sowohl für den Westen wie für den Osten als Psychotherapeuten, als Psychoanalytiker ganz und gar atypisch sind. Uns fehlt unter anderem die brisante Aggressivität, die zur Zeit die Beziehung zwischen Ost und West prägt. Bei uns kommt dieser Zorn gar nicht erst auf, weil wir uns zu sehr mögen und weil wir einen gemeinsamen Nenner in der psychoanalytisch orientierten Psychotherapie einschließlich unserer Selbsterfahrung haben.

Maaz: Ich finde die Beziehung zu dir und unsere Zusammenarbeit deshalb so sympathisch, weil es uns gelingt, bei uns beiden Grundprobleme zu finden, die uns verbinden – die wir aber unterschiedlich abgewehrt und kompensiert haben. Obwohl du aus einer anderen Welt kommst, empfinde ich Sympathie, weil wir uns verstehen und eine gemeinsame Wellenlänge finden, auf der wir schwingen können. Das ist ein Privileg, für das ich dankbar bin. Ich sage das auch, weil mich Zorn und Enttäuschung packt, wenn ich miterleben muß, wie Menschen sich nicht verstehen wollen, wie Menschliches aus Markt- und Profitgründen mißachtet wird. Der Stalinismus war schlimm. Aber die Enttäuschung und der Zwang zu einem neuen bösen Spiel ist schlimmer. Denn die neue Unterwerfung funktioniert erfolgreicher, die Folgen sind tragischer und zwischen alle Beziehungen schiebt sich unaufhaltsam das Geld. Dieser Konflikt ist nicht nur einer zwischen Ost- und Westmenschen. Die Trennlinie zwischen Geld- und Machtbeziehungen auf der einen und emotional offenen Kontakten auf der anderen Seite verläuft ebenso zwischen den Menschen im Osten wie zwischen den Menschen im Westen. Auf beiden Seiten gibt es Menschen, mit denen ich größte Schwierigkeiten habe, mich zu «vereinigen». Im günstigsten Fall kann ich sie verstehen, aber das löscht nicht meine Affekte, die von Abneigung bis Haß reichen.

Moeller: Da bin ich derselben Meinung. Ich möchte aber meine Überlegung noch zu Ende führen: Wir beide sind zwar atypisch, trotzdem aber symptomatisch. Niemand wird sagen können, wir seien zwei ungewöhnliche, am Rande der Gesellschaft stehende Figuren, die fürs Ganze in keiner Weise typisch sind. Im Gegenteil: wir sind sehr typisch fürs Ganze, wenn auch in unserer besonderen Fassung als Psychotherapeuten.

Maaz: Mit Hilfe unserer psychotherapeutischen Möglichkeiten – zuhören, sich einfühlen, sich gegenseitig akzeptieren und verstehen wollen – sind wir in unseren Zwiegesprächen bald vom «Sie» zum «Du» gekommen. In dieser Verständigung und Annäherung sind wir bestimmt nicht repräsentativ für die Ost-West-Beziehungen. Obwohl es auch zwischen uns mitunter Verteidigungs- und Erklärungsversuche gab, also Abwehrformen, die unsere innerste Betroffenheit abmildern sollten, haben wir die aggressiven Affekte vermieden, die jetzt in Deutschland immer stärker auftreten. Und im Unterschied zu vielen Ostdeutschen bin ich dadurch privilegiert, daß ich Arbeit habe und Anerkennung finde. Ich möchte deshalb durch unsere Annäherung den berechtigten Zorn, der bei vielen im Osten herrscht, und die vielen Schwierigkeiten, sich zu verstehen, nicht vergessen oder ausblenden. Gegenwärtig wachsen bei uns die sozialen Ungleichheiten und Ungerechtigkeiten so rasant, daß ich schon nicht mehr typisch für den «Osten» bin. Was meine Wünsche und Sehnsüchte betrifft, meine Bedürftigkeit und meine Schwierigkeiten, darin sehe ich mich allerdings durchaus als prototypisch an. An unserem Annäherungsprozeß halte ich für so wichtig, daß wir uns Traurigkeit und Schmerzliches zumindest eingestanden, wenn auch nicht durchlebt haben.

Moeller: Wollen wir das gleich konkret aufgreifen? Ich finde, dies wurde besonders sichtbar, als du meine Trauer gedeutet hast. Ich erlebte eine unerwartete Trauer, als ich in den Osten fuhr, und du sagtest sinngemäß: Das ist doch die Trauer, die du aus dem Westen reinschleppst; du siehst sie drüben nur nicht. Ich hielt deine Antwort mehr oder weniger für eine Deutung und meinte, wir sollten sie einmal so stehenlassen, anders kämen wir beide an diesem Punkt nicht weiter. Dann aber erkannte ich, daß ich tatsächlich auch in meinem eigenen Leben ein Gefühl der Trauer erlebte. So habe ich deine Deutung indirekt wiederaufgenommen.

Maaz: Ich konnte auf diese Weise auch deine Kritik an uns besser annehmen. Im Grunde genommen sehe ich das ja genauso, aber es schmerzt mich eben doch, wenn es mir von außen vorgeworfen wird. Ich fühle mich persönlich angegriffen und gehe in Verteidigungsstellung. Indem wir unser beider Abwehr an dieser Stelle aufweichen konnten, haben wir uns...

Moeller: ...gefunden, sind sozusagen einen ersten Schritt gegangen auf dem Weg zur menschlichen Vereinigung. Das erscheint mir als ein ganz besonderes, schönes und sichtbares Beispiel dafür, welche Chancen ein solches Zwiegespräch eröffnet: langsam schmilzt die Abwehr, und plötzlich begegnen wir uns offener.

Maaz: Um die Abwehr aufzugeben, müssen wir zunächst unsere Angst vermindern können – dann können wir uns näherkommen.

Moeller: Ich denke, auch die Angst vor uns selbst. Die menschliche Vereinigung zwischen Ost und West setzt im Grunde voraus, sich mit sich selbst zu vereinigen. Das dürfte der Pferdefuß sein. Denn es ist nicht einfach, die eigene Abwehrschranke zu überwinden – wegen der eigenen inneren Angst. Die menschliche Vereinigung ist so gesehen fast eine Art Therapie, eine innere seelische Entwicklung. Denn jede Psychotherapie ist ein seelischer Entwicklungsweg.

Maaz: In letzter Zeit kommt mir öfters der Gedanke – und in unserem Gespräch gibt es ebenfalls mehrere Indizien dafür –, daß wir, im Osten wie im Westen, nicht wirklich ganz waren. Wir waren gespalten, hatten auf beiden Seiten etwas von uns abgespalten. Aus unserer beruflichen Arbeit kennen wir das ja, aber mir geht es jetzt ganz allgemein um das Ost-West-Verhältnis. Wir haben uns gegenseitig gebraucht und benutzt, um unsere innere Not zu beschwichtigen: Wir haben euch die Größe und Freiheit angedichtet, die wir nicht leben konnten – und für euch verkörpern wir die Enge und Armut, die ihr bei euch nicht wahrnehmen wollt. Der Blick nach außen soll von den inneren Zuständen ablenken.

Wenn wir uns wirklich näherkommen wollen, müssen wir die Abspaltungen zurücknehmen und den anderen aus der Projektion entlassen. Dann wären wir viel stärker mit uns selbst konfrontiert. Ich stehe jetzt meiner innersten Unsicherheit und meinem Minderwertigkeitsgefühl auf neue Art gegenüber. In der DDR war es nicht schwer, das repressive System dafür verantwortlich zu machen, aber jetzt bin ich «befreit», lebe im «Westen», erfahre Wertschätzung – und bin doch nicht zufriedener. Ich stehe wieder einem schmerzlichen Erkenntnis- und Gefühlsprozeß gegenüber, den ich nicht noch einmal auf die alte Weise ausagieren will.

Moeller: Für mich war das Empfinden in dem kleinen Klinikzimmer in Halle wesentlich – daß ich plötzlich bei mir selber bleiben konnte und nicht mehr den übermäßigen Reizen von draußen ausgesetzt war. Mir ist aufgefallen, daß du ein ähnliches Gefühl hattest, als du aus dem Westen zurückkamst. Auch meine Trauer kann man mit Recht am Osten festmachen. Sie entstand angesichts von vierzig Jahren ungelebten Lebens. Als ich das wahrnahm, habe ich auf einmal entdeckt, daß es mir im Westen genauso geht. Das Erlebnis, daß sich mit der Wiedervereinigung eine Wunde schließt, wird zum Zeichen einer Selbstheilung – wenn man sich so wie wir in den Zwiegesprächen wirklich auf den Weg macht, sich menschlich zu verhalten.

Maaz: Die Fülle des Westens ist es also, die dir die Möglichkeit nimmt, bei dir zu bleiben.

Moeller: Ich kann schwer einen konkreten Ort dafür finden. Praktisch ist es ja eine Selbstvermeidung. Das Leben an sich ist voll von verführerischen Angeboten. Durch dich sehe ich mich aber aus einem anderen Blickwinkel. Die große Fülle, die schließlich zum Terror wird, ist mir erst durch deine Schilderung bewußt geworden. Aus der Perspektive des Ostdeutschen, so wie du sie geschildert hast, ist mir plötzlich meine Situation besonders klar geworden. Ich erkenne mich in dem ostdeutschen Spiegel, obwohl sich dort, oder besser: weil sich dort meine Situation immer etwas anders darstellt. Ich erkenne mich also in dir.

Maaz: Auf den Vorwurf, bei uns herrscht nur noch Verfall, habe ich mit dem Satz reagiert: «Das ist ja starker Tobak.» Ich denke jetzt, mit diesen Zuständen zeigen wir euch eure eigenen Schattenseiten, sozusagen das Kellerloch, das ihr in euren herausgeputzten Häusern nicht mehr zur Kenntnis nehmen wollt. Und wenn wir für euch diesen Zweck nicht mehr erfüllen, müßt ihr selber wieder diese Seite bei euch entdecken. – Aber angesichts des momentanen wirtschaftlichen Desasters werden wir uns wohl noch lange als Splitter im Auge des anderen eignen.

Moeller: Am Beispiel meiner Trauer wird das sehr deutlich. Ich entdecke, daß ich auch im Westen nicht wirklich leben kann. Aber die Westdeutschen haben eine hervorragende Abwehrmöglichkeit: Sie müssen nicht – dafür brauchten sie Selbstoffenheit – in ihren eigenen Keller sehen, sondern können immer nach Osten zeigen und sagen: Seht mal, wie vergiftet der Boden dort ist! Seht mal, wie elend und schlimm dort alles ist! Und es stimmt ja sogar. Aber damit ist wieder die Gelegenheit zur Projektion gegeben. Wenn man sich wirklich menschlich vereinigt, kann man diese Projektion aufheben. Vielleicht ziehen es die Westdeutschen aber vor, sich menschlich nicht zu vereinigen, weil sie eben dadurch die Projektion beibehalten können.

Maaz: Deshalb ist ja meinem Buch «Psychogramm der DDR» der Vorwurf gemacht worden, ich hätte mit meiner kritischen Sicht der DDR-Bürger bestimmten Leuten im Westen nur Vorwände geliefert, auf uns abzulenken und sich so überheblich aufzuführen. Das Buch hätte gleichsam eine Erklärung und Entschuldigung für die Notwendigkeit der arroganten Belehrungen, der «Abwicklung» alter Strukturen geliefert. Die Westdeutschen konnten nun doppelt selbstgewiß auftrumpfen: Wir müßten endlich richtig arbeiten lernen und schnell die westliche Lebensart übernehmen – dann werde es uns schon bald besser gehen.

Moeller: Die Grundproblematik, die wir langsam herausgearbeitet haben, ist, daß die Schwierigkeit oder Unmöglichkeit, zu sich selbst zu kommen, oder – anders gesagt – die Abwehr, sich selbst zu begegnen, ein gemeinsamer deutscher Nenner ist – auch wenn er sich in einem unterschiedlichen Gewand zeigt. In den Zwiegesprächen liegt eine große Chance: Gerade weil ich meine Problematik in dir in einem anderen Gewande sehe, kann ich plötzlich meine eigene entdecken. Ich vergleiche; lasse mich auf etwas anderes ein; fange an nachzudenken, wie es denn von mir aus gesehen bei dir aussieht; und indem ich deine Situation nachfühle, entdecke ich plötzlich mein eigenes Problem – denn im Zwiegespräch wird dasselbe Problem auch bei mir aktualisiert. Vielleicht sollten wir die unterschiedliche Ausgestaltung unseres gemeinsamen Grundproblems – daß wir zu wenig zu uns kommen – als eine *Schwäche in der Selbstbeziehung* bezeichnen. Und vielleicht ist diese typisch deutsch.

Maaz: Unser vergleichbares Grundproblem, die Beziehungsschwäche zu uns selbst – also das innere Mangelsyndrom – versuchen wir auf vollkommen entgegengesetzte Weise zu kompensieren. Die Pole, zu denen wir jeweils ausgerichtet sind, heißen Mangel und Fülle, und beides ist irgendwie...

Moeller: ...eine Form von Terror.

Maaz: Genauso wie die Macht des Parteiapparates und die Macht der Freizeit- und Konsumindustrie, die Repression bei uns und die Zerstreuung bei euch.

Moeller: Auf der einen Seite kam es zu einem Gefühlsstau, auf der anderen zur Gefühlsentleerung.

Maaz: Ja, die Gefühle dürfen sich entweder nicht zeigen und ausdrücken oder sie verflüchtigen sich in zahllose, aber letztlich nichtssagende Möglichkeiten, die zwar interessant sein können, aber nicht an Tiefe gewinnen. Hinzu kommt: Bei uns haben sich Beziehungen vor allem als Beziehung *gegen* etwas konstituiert, sie sind zustande gekommen durch Protest – gegen das System, gegen die Obrigkeit und gegen den Mangel. Bei euch dagegen...

Moeller: ... herrscht ein funktionales Nebeneinander von Beziehungen. Die Funktionalität kennzeichnet aber in beiden Fällen die Beziehungen der Deutschen untereinander.

Maaz: Der Vereinigungsprozeß, so wie er bisher abläuft, wird bei uns von vielen als neue kränkende Verletzung erlebt, weil wir weder in unseren Beziehungen uns dadurch wirklich näher gekommen sind, noch haben wir unsere bisherige Entfremdung vermindern können. Lediglich im Herbst 1989 gab es diese herrliche Aufbruchsstimmung, die die Möglichkeit bot, besser zu uns selbst zu finden durch Auseinandersetzung, Offenheit und emotionale Entladungen – doch diese ist sehr schnell wieder verlorengegangen. Die ehrliche Beziehung zu uns selbst, die wir so nötig hätten und die wir uns letztlich auch ersehnen, ist uns nicht gelungen, und ich mache den Westlern den Vorwurf, daß sie uns das auch nicht gelassen haben.

Mit ihrer Art sich einzumischen, uns retten zu wollen, haben sie eben auch ihren Anteil dazu beigetragen, daß uns das nicht gelingt.

Moeller: Wir haben dazu beigetragen – das könnte ich akzeptieren. Nicht mehr akzeptieren könnte ich, daß wir sie euch nicht gelassen hätten. Das wäre eine einseitige Schuldzuschreibung. Ich meine aber, an einer Beziehungsform wirken immer beide mit. Ich hatte im Herbst 1989 die große Hoffnung, hier, in der DDR, vollzöge sich wirklich die erste deutsche und dazu noch friedliche Revolution. Das wäre ein Zeichen gewesen für die Stärke der Selbstbeziehung. Aber es ist dann anders gekommen...

Maaz: Ich hatte mit dieser «Revolution» dieselben Hoffnungen. Doch inzwischen bin ich der Ansicht, wir hatten keine Revolution, nur einen Machtwechsel. Die Autoritäten und die Bürokratien sind ausgewechselt worden, aber die Beziehungsstörungen untereinander und zu sich selbst sind nicht besser geworden – eher noch sind neue Verletzungen und Belastungen hinzugekommen.

Moeller: Auch der Anlaß, auf die Straße zu gehen, der Anlaß, der schließlich zu der Revolution führte, war, glaube ich, anders, als wir ihn uns vorstellten.

Maaz: Der Umbruch war auf keinen Fall von einer primär politischen Motivation getragen. Das System kollabierte vielmehr und als es in den letzten Atemzügen lag, haben auch wir unseren Protest auf die Straße getragen. Eine politisch gezielte Haltung lag nicht dahinter, auch den Begriff «Heldentum» kann ich dafür bis auf ganz wenige Ausnahmen nicht gelten lassen.

Moeller: Was war es aber dann für eine Haltung, die die Menschen auf die Straße brachte?

Maaz: Es waren unsere aufgestauten Gefühle, unsere Aggressivität, auch die Genugtuung, dieses verhaßte System endlich beerdigen zu können, wieder etwas von unserer Würde zurückzugewinnen, aus unseren Mauselöchern herauszukriechen.

Ich habe im Westen öfter gehört, daß manche die Hoffnung hatten, wir würden nun die erste erfolgreiche Revolution auf deutschem Boden zustande bringen. Zunächst war das natürlich sehr ehrenvoll für uns – wir haben es gerne gehört, und wir waren kurze Zeit stolz, aber das ist längst vorbei. Jetzt fange ich an nachzufragen, woher bei euch eigentlich dieser Wunsch und diese Sehnsucht nach einer erfolgreichen Revolution kommt.

Moeller: Ich war – wie wir sehen ganz zu Unrecht – stolz auf euch als Deutsche: Das sind endlich Deutsche, die zustande bringen, was wir im ganzen Zeitraum der Geschichte nie geschafft haben. Unsere Nation hat sich doch niemals selbst gefunden. Das spiegelt auf gesellschaftlicher Ebene die Selbstbeziehungsschwäche wider. Sie ist gleichsam von oben diktiert worden. Wir haben nie eine Französische Revolution erlebt.

Maaz: Und was ist mit eurer 68er Revolution?

Moeller: Die 68er Zeit ist tatsächlich eine Wende. Aber ich sehe sie nicht als eine Revolution an. Erstens hatte sie längst nicht dieses

Ausmaß, diese Stärke, zweitens umfaßte sie nicht Gesamtdeutschland, sondern war nur auf Westdeutschland beschränkt. Aber sie brachte, wie ich finde, einen deutlichen Bewußtseinswandel zustande. Sie ist für mich die Wende von der alten, eher autoritativen, zu einer viel großzügigeren, offeneren, dialogfähigeren Lebensform. Sie ist für mich selbstverständlich auch ein Symptom der Nachkriegsgeneration, also Ausdruck und nicht nur Auslöser des Bewußtseinswandels.

Maaz: Gerade eine solche Revolution wünschte ich mir sehr bald bei uns, denn die 89er kann ich als solche nicht ansehen. Was nach wie vor fehlt, ist eine breite Liberalisierung...

Moeller: ...innere Liberalisierung...

Maaz: ...ein Abbau der autoritären Strukturen in allen Bereichen der Gesellschaft, den ich nirgendwo erkennen kann. Aber ich frage mich, ob in der enttäuschten Hoffnung über uns nicht eine Menge Enttäuschung über eure 68er Bewegung enthalten ist? Ob nicht auch diese «Revolution» an entscheidender Stelle steckengeblieben ist? Obwohl ihr insgesamt eine wesentlich liberalere und demokratischere Entwicklung genommen habt, sind doch viele Einflüsse auf die Menschen und auf das Zusammenleben bei euch mit unseren Verhältnissen durchaus vergleichbar. Vielleicht habt ihr euch zufriedengegeben oder geben müssen mit dem Gefühl, eine wesentliche Wende in eurem System vollbracht zu haben – doch das ist im Grunde ein Selbstbetrug, denn von da ab ist die menschliche Entfremdung nur noch geschickter verpackt und verborgen worden.

Moeller: Es kann durchaus sein, daß die nicht eingelösten Hoffnungen der 68er Zeit auf die 89er Revolution projiziert wurden. Wir dachten ja beide, diese sei auch ein innerer Ruf nach Erlösung gewesen. Es scheint mir ein typisch deutsches Schicksal, daß beide Revolutionen versandet und verrieselt sind in einem großen Attraktivitätspanorama. Jetzt habt ihr wirklich alles, die D-Mark, die neuen Autos, die Kühlschränke, den ganzen verführerischen Konsum. Und genau das war ja fast zum Karikaturbild der 68er geworden, als die wilden Rebellen plötzlich in Werbeagenturen saßen und als Kaufleute oder anderswie Etablierte aufgesogen schienen. Die Erlösung des Inneren hat nicht stattgefunden. Damals – so habe ich es jedenfalls erlebt – war der Ruf der 68er, daß man wirklich zu sich selbst kommen könnte, daß man politische Strukturen schaffen sollte, in denen viel mehr Beziehungsreichtum möglich wäre, beispielsweise in der Form der Mitbestimmung. Einiges haben diese Jahre ja auch bewirkt. In den Universitäten entstanden Strukturen, die ein Mitspracherecht unterschiedlicher Gruppierungen vorsehen. Doch insgesamt ist das nur ein ganz schmales, fast dürftiges Ergebnis des ursprünglichen Entwurfes.

Maaz: Ich verstehe allmählich, weshalb die Politiker, die Wirtschaftsleute, aber auch der Großteil der Menschen den Vereinigungsprozeß von westlicher Seite so angetrieben haben – vielleicht aus Abwehr der Sehnsüchte, die 1968 zum Konflikt führten, aber nicht wirklich zur Lösung und Vollendung gebracht wurden. 1989 sind diese erneut aktiviert worden, und das hat viele Wünsche und Hoffnungen, aber auch Ängste mobilisiert. Als die Hoffnungen dann enttäuscht wurden oder enttäuscht zu werden schienen, sind die Ängste übermächtig geworden. Von da ab gab es nur noch eine Tendenz, uns möglichst schnell an euer System anzugliedern, damit die alten schmerzlichen Fragen ja nicht wieder aufs neue aufgeworfen werden.

Moeller: Bei dieser Nachbetrachtung der Zwiegespräche erlebe ich ein neues Moment: ich koste sie aus. Ich genieße besonders, wie die Kleistsche «Vorfertigung der Gedanken beim Reden» abläuft, wie wir wirklich zu gemeinsamen Erkenntnissen kommen und wie sich auch gefühlsmäßig unsere Vereinigung vollzieht. Daß wir im zweiten Zwiegespräch unseren gemeinsamen Nenner auf den Begriff «Entselbstung» gebracht haben, erscheint mir als ein Meilenstein in diesem Prozeß. Wichtig an dieser Nachbetrachtung ist auch, daß wir noch einmal den Gesprächsverlauf reflektieren, wobei uns neue Zusammenhänge aufgehen und wir unsere Ausführungen ergänzen. Ich denke mir also, durch diese Art, mit den Zwiegesprächen umzugehen, erweitert sich noch einmal unser Bewußtsein, vertieft sich der menschliche Vereinigungsprozeß.

Maaz: Ich kann das bestätigen. Unsere Zwiegespräche sind für mich befreiend und angenehm. Ich spüre allerdings auch eine innere Spannung und Ambivalenz: Einerseits kritisiere ich ziemlich heftig die Art und Weise des Vereinigungsprozesses und die westliche Lebensart; auf der anderen Seite genieße ich auch die Vorzüge des Westens. Ich gehe gerne zum Italiener essen, ich fahre ein neues Auto, es ist einfach ein Vergnügen und natürlich verführerisch, wie ich hier behandelt und aufgewertet werde. Ich hatte mich mit der DDR wenig identifiziert, lebte in deutlicher innerer Distanz zu diesem System, und dennoch fällt es mir jetzt schwer, die «Verwestlichung» anzunehmen – jedenfalls dort, wo mir etwas aufgedrängt wird, und das geschieht leider im Moment sehr reichlich und gebieterisch. Ich fühle mich sogar schuldig, dies alles mitzumachen, denn es ist wie Verrat an den eigenen Idealen. Am deutlichsten spüre ich das mit dem neuen Auto. Ich schämte mich seinetwegen zu Hause etwas und würde es am liebsten verstecken, denn es ist der offenkundigste Widerspruch zu meiner veröffentlichten Meinung. Jeder kann sehen: Ich bin den Verlockungen verfallen, die ich so sehr kritisiere.

Moeller: Darf ich einen Einwand machen? Ich denke mir, das ist eben diese zwiespältige und allzu menschliche Entwicklung, die uns alle betrifft. Du wirst von den Verführungen des Westens ergriffen, und während du sie dir wie einen Glitzermantel umlegst, packen dich gleichzeitig die Schuldgefühle. Du bist plötzlich vorangekommen und spürst in dir, was ich die Glücksangst nenne. Die Schuldgefühle wegen des Privilegs und die Angst vor dem Neid der anderen gehören unter anderem dazu. Beinahe meint man, man verrate damit die eigene Heimat. Ihr habt alle in einer gemeinsamen Welt gelebt, die dieses System herstellte – und jetzt kommt plötzlich dieser…

Maaz: …«Bruch» würde ich am ehesten dazu sagen. Es gibt massenhaft Identitätsbrüche. Wir hatten uns doch alle irgendwie eingerichtet in unserem System. Natürlich kann und muß man das Verhalten jedes einzelnen unterschiedlich bewerten – es reicht von strafrechtlich zu verantwortenden Handlungen über moralische

Verfehlung bis hin zu einfacher menschlicher Schwäche. Daß kriminelle Machthaber und Gesinnungslumpen durch die «Wende» entwurzelt wurden, erfüllt mich ja noch mit einer gewissen Genugtuung, aber die Oppositionellen haben keinen besonderen Grund zur Freude, denn sie haben nichts wirklich dazugewonnen. Sie haben ihre aus der Gegenposition gewonnene Identität verloren, aber keine positive Konzeption für das Neue gefunden. Mir selber geht es jedenfalls so. Die Nötigung zu neuen Entscheidungen und Haltungen, die Vielzahl der Angebote läßt mich manchmal schon wie ein richtiger Westler herumirren, von Termin zu Termin hasten und mehr denn je von meinem Innersten entfernen. Der «Stalinismus» hat nicht vermocht, was der Westen offenbar mit Leichtigkeit bei mir schafft.

Zugleich spüre ich eine deutliche Enttäuschung über den ganzen Freiheitsbetrug. Der letzte Regierungschef der DDR, Lothar de Maizière, sprach einmal davon, daß wir endlich «die Freiheit erkämpft» hätten – so simpel sah dies unser erster freigewählter Ministerpräsident mit der gutbürgerlichen Bildung. «Freiheit» wird bei so einer Formulierung als ein Haben-Wert und nicht als eine Seins-Kategorie verstanden. Und selbst diese Freiheit als erkämpfbarer «Besitz» entpuppt sich als bloße Freiheit der Auswahl aus einem Überangebot und nicht als echte Gestaltungsfreiheit. So mischt sich in die Freude über neue Möglichkeiten die bittere Enttäuschung über die neuen Zwänge, die wir wie eh und je zu übernehmen haben. Ich gewinne keine reifere Identität durch aktive Mitgestaltung, sondern bin erneut genötigt, den Untertanen, jetzt den «gehobeneren Untertanen» darzustellen. Auch unsere Politiker sehe ich in keiner besseren Situation.

Moeller: Die Vereinigung bedeutet – oberflächlich gesehen – zunächst einen riesigen Gewinn durch das sogenannte bessere System. In gewisser Weise ist es ja auch das bessere. Es ruft aber auch zwiespältige Gefühle wach. Du begegnest ihm schon sehr ambivalent, weil auch du die «Entleerung», also die Verführung und Oberflächlichkeit, wahrnimmst. Sie ist nicht alles, aber sie steckt im System drin. Zudem mußt du auch noch deine alte Identität ablegen, die alte Heimat verlassen. Das verlangt von dir eine enorme seelische Veränderung, eine große innere Arbeit. Ich frage mich: Haben wir überhaupt Zeit, uns menschlich zu vereinigen? Vor allem ihr, die ihr jetzt den alltäglichen Aufbau leisten müßt und die äußere Umformung eures Lebens erlebt – aber auch wir mit unserem Streß und Tempo von Konsum und Leistung?

Maaz: Der dringliche Neuaufbau, die Sachzwänge unserer Realität lassen uns für die Auseinandersetzung mit uns selbst keine Zeit – so scheint es und so wird es begründet. Ich sehe darin einen Abwehrvorgang, daß wir uns die Zeit gar nicht nehmen *wollen* für innere Veränderungen, für gegenseitiges Verstehen und für eine echte Annäherung, die Veränderungen mit seelischen Aufbrüchen auf beiden Seiten voraussetzen würde. Die Angst, die von einem solchen Prozeß ausgelöst wird, findet schnell nationale Erklärungen, weshalb alles so und nicht anders und vor allem so schnell gehen mußte. Die reale Entwicklung zeigt mir jedenfalls immer deutlicher, wie sehr die Politik riskante und falsche Weichenstellungen vorgenommen hat und nun nachträglich in Erklärungszwang gerät.

Moeller: Die politische und nationale Vereinigung, die Vereinigung der Menschen in Ost und West bedeutet, daß man sich mit sich selbst vereinigt – davor aber steht eine dicke Wand.

Maaz: Die Entfremdung oder auch Entselbstung haben wir in unseren Gesprächen ja als gemeinsames Problem herausgearbeitet. Bei uns geschah diese mehr durch den repressiven Kontroll- und Unterdrückungsapparat, bei euch mehr durch die alles regulierende Kraft des Geldes – im Ergebnis gibt es aber auf beiden Seiten eine starke seelische Entfremdung. Der tiefere Grund dafür könnte unsere gemeinsame deutsche Vergangenheit sein mit der enormen Last der Schuld, denn die seelische Entfremdung kann auch die Funktion haben, Schmerz, Trauer und Schuld nicht fühlen zu müssen.

Moeller: Die Lähmung entsteht durch ein nicht verarbeitetes inneres Problem, in diesem Fall durch unsere Unfähigkeit, die Schuld und ihre realen Umstände zu akzeptieren. Ich glaube, das spielt mit Sicherheit eine große Rolle. Denn in dem Augenblick, in dem

Deutschland vereint ist, wird es genau auf jene Zeit zurückgeführt, in der wir noch nicht gespalten waren: die Nazi-Zeit. Wir geraten über diese historische und seelische Assoziation direkt in das Nazi-Deutschland. Dieses ist unsere gemeinsame Vergangenheit, die durch die Einheit wachgerufen wurde.

Maaz: Mit der Vereinigung ging sofort die Diskussion über die «deutschen Ostgebiete» los. Der aufkommende Nationalismus hat für mich vor allem die Funktion der Schuldabwehr.

Die Ähnlichkeit der gestörten psychischen Strukturen, der «stalinistischen» wie der «faschistischen», war mir bei meiner Arbeit als unerträgliche Hypothek aufgefallen. Aber was passiert jetzt? Wir unterwerfen uns erneut. Mir fällt ein Beispiel aus unseren eigenen Reihen ein, also von uns Psychotherapeuten, die es ja eigentlich von Berufs wegen besser wissen müßten. Wir hatten vor kurzem eine Sitzung unter Kollegen, in der es um die schwierigen, aber auch wichtigen Fragen unserer beruflichen Zukunft ging. Jetzt müssen wir uns mit den westlichen Auflagen auseinandersetzen und den neuen Herren nachweisen, was unsere Arbeit taugt und wie gut wir ausgebildet sind. Die Gefahr ist groß, daß wir auch auf diesem Gebiet unsere Identität verkaufen. Damit bleiben wir natürlich...

Moeller: ...in der alten Lähmung befangen.

Maaz: Ja. Wir haben es schwer, wertvolle Spezifika unserer Arbeit zu bewahren und gegen das «bewährte» System des Westens zu verteidigen. Mühsam verborgene Rivalitäten und Neid brechen durch im Kampf um die neuen «Fleischtöpfe». Aber noch etwas anderes spielt eine Rolle: Natürlich hatten wir auch unter uns Stasi-Mitarbeiter und SED-Genossen, die entsprechenden Einfluß auf die Entwicklung der Psychotherapie in der ehemaligen DDR ausübten und sicher viel menschliche Schweinereien zu verantworten haben. Dieses Thema haben wir aber bisher peinlich vermieden. Mein Vorschlag, wir sollten uns diesem Problem auch stellen, wurde hinweggefegt mit dem Argument, wir hätten jetzt wirklich andere Sorgen und Probleme – nämlich unsere eigene Existenz zu sichern. Dies ist zwar auch wahr, doch wenn selbst die Psychotherapeuten keine Aufarbeitung ihrer Vergangenheit wollen, obwohl sie täglich an der

Vergangenheitsbewältigung der Patienten arbeiten – wie wenig ist dann erst der Rest der Gesellschaft dazu bereit.

Moeller: Genau das ist für mich ein Beispiel für die dritte Schuld.

Maaz: An dieser Stelle fällt mir aber auch der unerträgliche und durch nichts zu rechtfertigende Krieg am Golf ein, wo uns – scheinbar kaum beteiligt – eine tiefe Schuld eingeholt hat.

Moeller: Meinst du das fatale deutsche Doppelgesicht? Auf der einen Seite sind wir ein Deutschland, das auf dem Hintergrund der eigenen Geschichte, der großen Niederlagen, der eigenen Verbrechen und des eigenen Leidens nie mehr Krieg möchte, auf der anderen Seite wiederholt sich die verdrängte Vergangenheit, indem wir durch die Embargo-Kriminalität kräftig daran mitwirkten, einen zweiten Hitler zu errichten – diesmal nicht innerhalb unserer Nation, sondern außerhalb.

Maaz: Es findet eine Verschiebung der Feindbilder statt. Ich empfinde die ganze Ost-West-Verständigung, weder die zwischen Amerika und der Sowjetunion noch die in Deutschland, als eine echte Annäherung und Verständigung. Es scheint nur so. Die Auflösung des Ost-West-Konfliktes ist für mich nicht das Ergebnis einer gereiften Politik, sondern Folge des wirtschaftlichen Zusammenbruchs, weil eine der beiden Seiten den krankhaften und militanten Wettbewerb nicht mehr durchhielt. Allerdings gibt es keinen wirklichen Sieger, sondern das Elend des Ostens wird auf den Westen zurückschlagen. Wir haben zwar die wechselseitigen Feindbilder und Projektionen verloren, doch ohne die krankhaften Mechanismen in unseren Seelen und unserem Zusammenleben wirklich aufzulösen. Ein Symptom dessen ist die nach wie vor vorhandene Hochrüstung, die keine moralische Skrupel kennt und sich selbst mit krimineller Energie behauptet.

Der militante Urgrund unserer Zivilisation, der Aggressionsstau muß sich also neue Feinde suchen, und da kam der ebenso kranke Hussein mit seinem verbrecherischen Handeln gerade recht. In dem Moment, in dem Frieden und menschliche Nähe möglich wären, entsteht soviel Angst davor, daß sofort ein neues Elend und Unglück herbeiagiert werden muß. Diesen Vorgang habe ich schon tausendfach bestätigt gefunden: Vor nichts hat der Mensch mehr Angst als vor Liebe und Frieden, denn das würde ihn an sein tiefstes Kindheitsdefizit erinnern und statt Freude zunächst existentielle Ängste und heftigen Schmerz auslösen. Also bleiben die vorhandenen abnormen Strukturen lieber unberührt, doch dann muß ein neuer Konflikt her. Der Ost-West-Konflikt wird deshalb jetzt durch den Nord-Süd-Konflikt abgelöst und überholt. Wir im Osten haben kapituliert und flehen um die «Erlösung» durch westliche Lebensart, der neue «Erzfeind» ist der fundamentalistische Islam.

Moeller: Wir sollten dieses Thema hier nicht weiter vertiefen. Wir kämen in das ungeheuer komplexe und widersprüchliche Gebiet von Friedensfähigkeit und Kriegsbereitschaft hinein. Daß der große Ost-West-Konflikt ausfällt, ist in meinen Augen vor allem ein Problem für die USA. Die deutsche Regierung vertritt in der neuen Epoche dagegen keine klare, den anderen Nationen im Dialog vermittelte Position – weder hinsichtlich einer entschlossenen Bündnisbereitschaft noch hinsichtlich einer energischen Friedenspolitik. Das sehe ich als deutsches Problem, als spezifischen Immobilismus.

Ich denke, daß der Golfkrieg für uns vor allem die Funktion hatte, uns im unselig rechten Moment die mühsamen Seiten der Vereinigung zu ersparen. Der menschliche Vereinigungsprozeß wurde dadurch unterbrochen, daß der Golfkrieg die seelischen Energien auf sich zog.

Maaz: Diese unklare, zweideutige Haltung Deutschlands weist auf eine unbewältigte Schuld hin. Und auf die makaberste Weise – man denke an das Giftgas – verrät sich die alte in der neuen Schuld. Wir sind deshalb nicht wirklich friedensfähig, weil wir die Folgen unserer seelischen Deformierungen nicht bewältigt haben. Im Zusammenhang mit dem Golfkrieg konnte ich bei vielen Menschen nicht nur Angst, sondern auch eine gewisse Sensationslüsternheit beobachten. Diese war auch in den Medien deutlich spürbar. Wann kracht es denn endlich? Dem Verbrecher Hussein muß es endlich ordentlich besorgt werden! In solchen Gefühlen drückt sich unsere eigene unbewältigte Aggressivität aus. Wir können die Gewalt vor dem Fernseher – scheinbar sublimiert und «technisch sauber» – ausleben. Eben haben wir uns noch unserer «Gewaltfreiheit» und unserer «friedlichen Revolution» gerühmt – Augenblicke später kommt, praktisch durchs Hintertürchen, der wahre Charakter unseres Seelenlebens zum Ausdruck.

Wir wollen unseren berechtigten Zorn gegenüber den Verursachern unserer seelischen Kränkungen und Demütigungen durch Erziehung und ein repressives Staatssystem nicht wahrhaben – deshalb rufen wir euch im Westen: Kommt und erlöst uns, bringt uns die Freiheit, seid bitte unsere besseren «Eltern». Aber ihr erweist euch ebenfalls nicht als die gewünschten Eltern – könnt ihr ja auch gar nicht – sondern ihr bringt uns eine Lebenswirklichkeit, die unsere alten Erfahrungen bedient und unsere unverheilten Wunden wieder aufreißt. Wir erfahren neue Unterdrückung und autoritäre Belehrung.

Moeller: Den Begriff «Unterdrückung» würden vielleicht viele nicht verstehen. Ich glaube aber, jedem leuchtet unmittelbar ein, daß euch eure gerade aufkeimende eigene Identität wieder genommen wird. Ihr habt wieder Eltern, die als wirklich gute Eltern erhofft wurden, die ja auch viele Geschenke brachten, denen es aber nicht gelang, den Kindern die Entwicklung einer eigenen Identität zu überlassen.

Maaz: Für uns ist das um so schlimmer, weil wir im Herbst 1989 erstmals ein wenig zu einem Aufbruch fähig waren. Wir hatten die Hoffnung auf wirkliche Selbstbestimmung, auf seelische und politische Nachreife, die in diesem System, bei diesen «Eltern» – nennen wir es mal so – einfach nicht möglich war. Denn sie haben die Selbstbestimmung – bei Todesstrafe – nicht erlaubt. Im Herbst 1989 witterten wir auf einmal eine Chance und schnupperten Morgenwind – doch plötzlich ist das alles wieder verloren und damit die Verletzung doppelt schlimm.

Moeller: ...und der Zorn, die Aggressivität...

Maaz: Diese müssen jetzt wieder irgendwohin abgelenkt und «abgeführt» werden. Die wachsende Radikalität und Gewalt sind nur die ersten Symptome eines riesigen gesellschaftlichen «Geschwürs», das seinen Nährboden in Kränkung, Demütigung und Entfremdung findet.

Moeller: Die Unfähigkeit, mit den eigenen Aggressionen und Destruktivitäten umzugehen, steht auch in Verbindung zur Erotik, mit ihrer manifesten «Dreifaltigkeit» von Sanftheitskult, technokratischer Liebe und Pornographie. Diese sanfte, oft esoterische Huldigung der Liebe trägt eine große Schwäche in sich, eben die Unfähigkeit, mit der eigenen Aggressivität umzugehen. Sie wird ausgeblendet und verdrängt. Dadurch wird die Liebe zum Kitsch. Im Porno dagegen schlägt eine ebenso unreife Aggressionsform ganz platt und fast gewalttätig durch, während in der technokratischen Liebe die nicht integrierten aggressiven Momente fast im autistischen Sinne durch Technik abgewehrt werden. Alle drei sind Spielarten der Schwierigkeit bis Unfähigkeit, mit den eigenen aggressiven Bestrebungen umzugehen, sie in die Liebe zu integrieren und sie konstruktiv – im Sinne von Durchsetzungsfähigkeit, Lebendigkeit und Tatkraft – umzusetzen.

Maaz: Da bin ich aber gespannt, wie wir ehemaligen DDR-Bürger das verkraften werden. Zunächst geht es mir wie vielen anderen, daß wir erst einmal neugierig sind, die Vielgestaltigkeit der Erotik und Sexualität so direkt und offen kennenzulernen. Die kulturelle Pflege sexueller Lust war bei uns herabgesunken auf eine pseudowissenschaftliche Sachlichkeit bei gleichzeitigem Mief spießiger Prüderie. Über die Pornos und Sexshops werden wir aber mit einer Sexualität konfrontiert, die vom Leistungsverhalten, von Aggressivität und Technik geprägt wird. Die differenzierte und oft komplizierte emotionale Beziehung, in die Sex eingebettet ist, bleibt ausgeblendet – wie in allen anderen Lebensbereichen der Industriegesellschaften auch. Wir werden also mit einer Sexualität konfrontiert, die der Wirklichkeit nicht entspricht und von natürlichen Prozessen weit entfernt ist. Gerade das könnte unsere Unsicherheiten und Spaltungen verstärken, denn durch den Wettbewerb wird im Westen alles so auf die Spitze getrieben, daß sich das Durchschnittlich-Normale als ewig minderwertig vorkommen muß. Der Mensch wird von allen Seiten auf eine Scheinwelt getrimmt und von der süchtigen Profitspirale bis zu irgendeinem Kollaps angetrieben.

Den «Sanftheitskult» habe ich auch bei uns inzwischen schon kennengelernt. Er hat in einigen «christlichen» Kreisen überlebt, doch jetzt wird er vor allem aus dem Westen hereingebracht in Form von «Therapieangeboten», «Workshops», Esoterik und neuen Sekten. Diese versprechen inneres Wachstum, Selbstfindung, Befreiung und ähnliches, aber vermeiden Konfrontation und notwendige kritische Auseinandersetzungen oder wissen sie zu verhindern. Die wirklichen Schwierigkeiten werden dabei durch eine Pseudo-Nähe und unechte Zuneigung zugedeckt. Die Leiter solcher Veranstaltungen spielen sich als die «besseren Eltern» auf und sind damit auch eine Weile erfolgreich, denn sie nutzen geschickt die bei vielen Menschen vorhandenen Abhängigkeiten und riesigen inneren Defizite für ihren Geldbeutel oder ihr eigenes neurotisches Geltungsbedürfnis aus. Viele von uns werden aus ihrer inneren Bedürftigkeit heraus solchen Angeboten zum Opfer fallen – mit der illusionären Hoffnung, sie könnten für ihre frühen enttäuschenden Erfahrungen heute noch entschädigt werden. Dies ist eine neue Droge, die den bitteren Schmerz, die schlummernde Angst und die aufgestaute Wut gewinnträchtig verschleiern und dämpfen möchte. Das Angebot, Angst, Wut und Schmerz zuzulassen und zu fühlen, um allmählich vom zwanghaften Ausagieren freizukommen, erscheint im Vergleich dazu natürlich wenig attraktiv.

Moeller: Was beim dritten Zwiegespräch zuerst auffällt: wir duzen uns. Nach meinen Erfahrungen mit Zwiegesprächen ist das keine besondere Erscheinung, sondern ein gleichsam natürliches Ergebnis. Obwohl unsere Zwiegespräche nicht unmittelbar und nicht ganz persönlich waren, sondern ein vorgegebenes Thema hatten, kam gefühlsmäßig viel zwischen uns in Bewegung. Wir bekamen an diesem Tag eine solche Nähe zueinander, es wurden so viele und so unterschiedliche persönliche Seiten unseres Lebens angesprochen, daß sich unser «Du» – nach meinem Empfinden – wie von selbst ergab.

Maaz: Ich bin auch zufrieden mit dem «Du». Unsere Gespräche haben emotional etwas in Bewegung gebracht zwischen uns. Wir haben zentrale Fragen unseres Lebens berührt, vor allem die Not der Entfremdung; in unserem letzten Zwiegespräch haben wir lange über Frauen und die Arbeit gesprochen – zwei Themen, die uns beiden viel bedeuten. Wir haben festgestellt, daß der Sinn der Arbeit in beiden Systemen – Ost und West – vielfach verlorengeht und daß uns beide die bestehenden Mann-Frau-Beziehungen beschäftigen, daß wir unglücklich sind über das, was bei euch und bei uns unter dem Stichwort «Frauenemanzipation» stattfindet.

Auf mich selber bezogen muß ich feststellen, daß mir meine Tätigkeit zwar viel bedeutet und mir Identität verleiht; aber ich arbeite zuviel, und meine Wünsche nach Entspannung und emotionaler Intimität kommen einfach zu kurz. Was bedeutet das? Äußere Zwänge sind zwar eine Erklärung, aber keine Entschuldigung, weil ich die Dosis für «Pflichten» und «Vergnügungen» in weiten Bereichen selbst bestimmen kann. Ich glaube, das Hauptproblem ist mit dem Begriff der «Emanzipation» benannt. Die Frauenbewegung hat mich mit der Frage konfrontiert: Was ist eigentlich eine «richtige Frau», und da war ich sofort bei der Gegenfrage: Und was ist ein «richtiger Mann»? Das eine ist nicht ohne das andere zu haben – ein Mann wird durch eine Frau erst richtig Mann wie auch andersherum. Es geht also darum, eine Beziehung zueinander zu entwickeln bei innerer Unabhängigkeit, daß man sich nicht gegenseitig mißbraucht, indem man im anderen den Vater oder die Mutter sucht oder bestraft. Dieses entscheidende Kriterium der «emanzipierten Beziehung» ist wohl angesichts unser aller «Altlasten» sehr schwer zu erreichen. Ich habe meine Schwierigkeiten damit, und zu zweit ist es meist doppelt schwer, aber wenn es mal gelingt, auch doppelt schön. Die Emanzipationsbewegung sehe ich dagegen als eine tragische Entfernung voneinander, als ein Gegen- statt ein Miteinander.

Moeller: Zwiegespräche zwischen Mann und Frau helfen sehr, dieses Problem zu lösen. In meinem Privatleben tue ich das auch. Mich hat überrascht, daß die Frauenemanzipation bei uns beiden –

also bei zwei Männern – einen relativ breiten Raum eingenommen hat. Ich denke, dahinter liegt eine Sehnsucht, wie wir, Mann und Frau gemeinsam, in unserem gesellschaftlichen Leben eine Rollenverteilung realisieren können, die uns noch eine wirklich lebendige Beziehung erlaubt.

An einer anderen Stelle unseres Gesprächs haben wir beobachtet, wie wir uns vor einer eigenen Schuld gedrückt hatten. Es ging um Umweltverschmutzung, und ich antwortete dir, ihr hättet es unter Umständen schlimmer getrieben als wir, nachdem du darauf hingewiesen hattest, was wir im Westen mit der Umwelt anrichten. Das erschien mir als Projektion. Ich habe gekontert. Erst dann konnten wir die kleine Kontroverse auflösen und ein Stück unserer eigenen Schuld annehmen. Ich entdeckte, daß die Ellbogengesellschaft Ursache dieser Umweltverschmutzung ist. Das ist ein Beispiel, wie es einem im Zwiegespräch zuerst gelingt, Projektionen zurückzunehmen – das ist kaum zu vermeiden, weil jeder sich einfühlbar macht – und dann nach und nach zu einer wirklichen Annäherung zu kommen.

Maaz: Dieses Beispiel zeigt deutlich, wie wir beide in Schuld verstrickt sind. Ich meine nicht nur die deutsche Vergangenheit, sondern eine aktuelle Schuld, denn gegenüber der Umwelt sind wir erneut Mittäter. Wir haben das Wort der dritten Schuld der Deutschen geprägt, die mit dem Vereinigungsprozeß entsteht, wenn wir unsere innere Problematik nicht erkennen und aufarbeiten. Die Umweltverschmutzung, an der wir alle kräftig mitarbeiten, ist der äußere Ausdruck unserer Innenweltverschmutzung. Dafür spricht auch, daß die Vereinigung vor allem als wirtschaftliches Problem verstanden wird – aber wo bleiben die Menschen?

Moeller: Ich beziehe diese dritte Schuld aber nicht auf die Umweltverschmutzung, sondern auf das Stasi-Problem. Allerdings verkopple ich in meiner westlichen Perspektive – das mag für dich in deiner östlichen Perspektive in bezug auf den Westen ähnlich sein – das System der alten DDR direkt mit dieser grauenhaften Umweltvernichtung. Für mich ist das sozusagen ein psychisches und politisches Konglomerat.

Maaz: Da regt sich sofort Widerstand in mir – wir geraten schon wieder in die Gefahr zu projizieren –, denn ich will vor allem die expansive Produktivität des westlichen Marktes für die Umweltzerstörung verantwortlich machen.

Moeller: Genau darauf wollte ich hinaus. Wir haben sicherlich noch unsere Projektionsverzerrungen, finden aber schon eine gemeinsame Ebene in der Erkenntnis, daß wir uns darin in nichts nachstehen.

Maaz: Das bringt mich zu der Frage, welchen Sinn unser Gespräch eigentlich hatte. Es war schön, sich zu verständigen. Unsere Annäherung, die gegenseitige Bereicherung an Erkenntnis und Erfahrung ist sinnvoll gelebtes Leben. Und wir sind uns auch einig, daß wir aus unseren Zwiegesprächen ein Buch machen wollen, daß wir also über uns hinaus auch andere ansprechen wollen. Welchen Sinn könnte das für andere haben? Wir sind jetzt gerade zu einer wichtigen Erkenntnis für uns gekommen – daß wir weiterhin in Schuld verstrickt sind, aber dies führt offensichtlich bei uns noch nicht dazu, daß wir unsere Lebenseinstellung überprüfen, uns für Veränderungen entscheiden, vielleicht gar zu politischen Aktionen kommen. Für uns ist das ein großer Widerspruch.

Moeller: Das kann ich gut nachfühlen. Ich habe mir aber zunächst nicht so hohe Ziele mit dieser gemeinsamen Arbeit gesetzt. Wir haben versucht, ein Angebot für eine wirkliche menschliche Vereinigung lebendig darzustellen. Ich sehe es nicht auch noch als meine Aufgabe an, diesen Beitrag anderen gewissermaßen aufzunötigen. Ich denke, es soll ein Angebot bleiben. Jeder ist aufgerufen, diese Möglichkeit privat, gemeinschaftlich mit anderen oder als Initiative einer Organisation zu ergreifen oder zu lassen.

Maaz: Das sehe ich auch so, und doch plagt mich das Bedürfnis nach politischer Wirksamkeit. Ich habe den Wunsch, sinnvolle Veränderungen unseres Zusammenlebens mitzubewirken und auszugestalten. Dieser Wunsch ist in der Vergangenheit bei mir bestimmt zu kurz gekommen, und vielleicht kann ich auch nicht die Ohnmacht ertragen, die mich angesichts der Umweltzerstörung und des Golfkrieges spürbar erfaßt und auch eine innere Ohnmacht, die Unfähigkeit, die Selbstentfremdung wirksam zu überwinden, aktiviert.

Moeller: Vielleicht habe ich auch eine konkrete Hoffnung für uns. Ich habe mich in den letzten beiden Jahrzehnten sehr für die Selbsthilfegruppenbewegung in Deutschland eingesetzt und habe erlebt, wie sie wuchs und sich verbreitet hat. Sie hat sich wirklich im Sinne der grass-roots-associations eigenständig entwickelt, wenn auch zum Teil mit politischer Unterstützung. Es ist etwas daraus geworden, was aus dem Leben des Landes nicht mehr wegzudenken ist. Und Zwiegespräche sind die Tätigkeitsform der denkbar kleinsten Selbsthilfegruppe – warum soll es damit nicht ähnlich gehen?

Michael Lukas Moeller

Deutsche im Gespräch

Eine Anregung zur menschlichen Vereinigung in west-östlichen Zwiegesprächen

Zwiegespräche und ihre Anwendung

Das Zwiegespräch hatte ich in meinem Buch «Die Wahrheit beginnt zu zweit»* ursprünglich für das Paarleben entworfen: als ein ungestörtes, wesentliches Gespräch einmal in der Woche von anderthalb Stunden Dauer. Es sollte ein Austausch von Selbstporträts sein mit dem Ziel, sich wechselseitig einfühlbar zu machen. Zwiegespräche berücksichtigen die Grundeinsichten der Psychoanalyse menschlicher Beziehungen und unterscheiden sich von jenen fruchtlosen Zweierdiskussionen, die unter dem Begriff «Beziehungskiste» bekannt und berüchtigt sind.

Schnell wurde aber deutlich, daß Zwiegespräche ihre besten Wirkungen – wie die Steigerung wechselseitiger Einfühlung als Basis von Konfliktfähigkeit, Lebendigkeit, Geborgenheit und kreativer Entwicklung – auch in jeder anderen intensiven oder bedeutenden Partnerschaft entfalten: in Freundschaften, in Beziehungen zwischen Eltern und Kindern oder zwischen Geschwistern, am Arbeitsplatz oder zwischen zwei Mitgliedern einer Selbsthilfegruppe, wenn in Krisensituationen die Gruppensitzung allein nicht mehr reicht. Wenn ich beispielsweise meinen in den USA lebenden Freund alljährlich sehe, führen wir gleich zu Beginn ein Zwiegespräch und

* Michael Lukas Moeller: Die Wahrheit beginnt zu zweit. Das Paar im Gespräch, Reinbek 1988 und 1991.

wissen anschließend mehr voneinander, als wenn wir eine Woche wie üblich zusammengewesen wären.

Von politischen Zwiegesprächen hörte ich bisher nur einmal: In frühen menschlichen Stämmen wurde ein Krieg verhindert oder beigelegt durch «Friedenszwiegespräche» der beiden Häuptlinge.* Das Geheimnis der Zwiegespräche beruht auf der Chance, daß zwei Menschen darin ihre Andersartigkeit akzeptieren. Die Kultur des anderen wird aufgrund der wechselseitigen seelischen Übersetzungsarbeit gleichsam durchsichtig. Die übliche Abwertung des Fremden, ein archaisches Angstsymptom und die Essenz jeder Art von Rassismus, verliert ihren Boden.

Allerdings hatte ich vor einiger Zeit in ähnlicher Form Gruppengespräche von Politikern in einem Landesparlament angeregt und begleitet. Diese «Arbeitsplatz-Gesprächskreise» – bei den in emotionaler Hinsicht mutigen Grünen in Hessen – hatten dieselben Grundgesetze wie Zwiegespräche und Gesprächsselbsthilfegruppen. Im politischen Alltag jedoch werden sie stark behindert durch die zentrale Motivation aller Politiker, Einfluß – das heißt Macht – zu gewinnen. So bewegte sich die Gruppendynamik der Politiker während dieses einen Jahres meiner Organisationsentwicklungshilfe zäher als in anderen Berufen. Und doch führte der Versuch der wechselseitigen Verständigung zwischen den rivalisierenden Flügeln zur maßgeblichen (wenn auch natürlich nicht angestrebten) Verschiebung von einer Stimme, die schließlich die erste rot-grüne Koalition in der Bundesrepublik möglich machte. Vielleicht hat auch diese Erfahrung zu unserer deutsch-deutschen Anregung beigetragen.

* Irenäus Eibl-Eibesfeldt: Die Biologie des menschlichen Verhaltens, München 1986, S. 534.

Unterschiede zu üblichen Zwiegesprächen

Indem wir, die Autoren dieses Bandes, Zwiegespräche öffentlich führten, um damit andere West- und Ostdeutsche zu ermutigen, sich auf einen solchen wechselseitigen Erfahrungs- und Erlebnisaustausch einzulassen, haben wir natürlich ein wesentliches Element dieser hochpersönlichen Aussprache verändert: *die schützende Verschwiegenheit.* Allerdings sind wir beide im Zuge unserer Ausbildung durch eine lange Selbsterfahrung gegangen und haben vielleicht die Überflüssigkeit vieler Geheimhaltungen durchschaut. Für mich kann ich jedenfalls sagen, daß mir die Öffentlichkeit unseres Gespräches, während wir redeten, nicht zusetzte, wenngleich es natürlich sein mag, daß mein Unbewußtes besondere Intimitäten in der Beziehung zu Hans-Joachim Maaz von vornherein ausschloß.

Eine weitere wesentliche Veränderung gegenüber einem «gewöhnlichen» Zwiegespräch ist die *Aufbereitung* der wörtlichen Rede zu einem lesbaren Text. Da wir uns nicht weiter abgesprochen hatten, wählten wir jeweils andere Verfahren. Hans-Joachim Maaz brachte seine Passagen des Wortlauts durch eine erneute mündliche Fassung in eine flüssigere Sprache, wobei er natürlich weitgehend der Urfassung folgte, während ich den abgetippten Text – wie ich es sonst gewohnt war – handschriftlich lesbarer zu machen versuchte. Der Urtext ist wie üblich zum Lesen nicht geeignet. Ich erwähne das deswegen, weil wir durch unsere überarbeiteten Beispiele nicht den Eindruck perfektionistischer Makellosigkeit unserer Zwiegespräche erwecken wollen. Damit liefen wir womöglich Gefahr, manche zu entmutigen statt anzuregen.

Schließlich unterscheiden sich diese Zwiegespräche von anderen durch ein *vorgegebenes Thema* – man könnte sie deshalb als themenzentrierte Zwiegespräche bezeichnen. Allerdings stört das die unbewußte Selbstregulation des Austausches wenig. Wir hatten uns nämlich nur große Themenbereiche wie Liebe, Arbeit, Politik vorgenommen und wurden darin durch freie Assoziationen wie von selbst, das heißt von unserem Unbewußten, geführt.

Übliche Zwiegespräche werden nach einiger Zeit sehr persönlich und offen; sie gehen dann tief, wie man sagt. Das ist auch in den wenigen Zwiegesprächen zu spüren gewesen, die wir in diesem Rahmen führten. Wer davor Scheu empfindet, kann beruhigt sein. Auch das reguliert sich wie von allein. Jede oder jeder bestimmt selbst den Grad der Offenheit. Im übrigen bieten diese Gespräche durch das Thema stets eine gute Chance, *Nähe und Distanz zu dosieren.* Auch darin unterscheiden sie sich von unmittelbar persönlichen Zwiegesprächen.

Wie können Zwiegespräche der sogenannten «menschlichen Vereinigung» dienen?

Bevor ich Grundordnung und Geist der Zwiegespräche skizziere, erscheint es mir sinnvoll, die *Anwendung* der Zwiegespräche zu umreißen.

Zwiegespräche können von jedem einzelnen persönlich, aber auch von Gruppen und Organisationen genutzt werden.

Persönliche Initiative im eigenen Kreis

Jeder kann seine Phantasie spielen lassen, wo er in seinem persönlichen Bereich oder bei Begegnungen Zwiegespräche für sinnvoll hält, um das wechselseitige Verstehen zu vertiefen. In der Regel unterschätzen wir den Unterschied der westlichen und östlichen Lebenswirklichkeit gewaltig. Es geht nicht nur um die vielzitierten Lebensverhältnisse, die noch längere Zeit extrem unterschiedlich bleiben dürften. Es geht vor allem um die Kluft des Erlebens und Verhaltens, also um eine seelische Entwicklung, die sich auf beiden Seiten über vierzig Jahre hin anders vollzog und mit hoher Wahrscheinlichkeit andere psychische Strukturen hervorbrachte. Die Gefahr eines wechselseitigen «Rassismus» ist in solchen Fällen hoch; dieser wird gegenwärtig nur durch die «Helferbeziehung» von West zu Ost verdeckt. Und die Ausländer in beiden Teilen Deutschlands sind wahrscheinlich unsere Sündenböcke. Bisher scheint deutlich, daß der Ruf nach Ordnung und Sicherheit im Osten stärker ist als im Westen, ebenso wie die Abneigung gegen Ausländer. Das hat handfeste materielle Ursachen, aber ebenso reale seelische Hintergründe.

Zwiegespräche können im Verwandten- und Bekanntenkreis stattfinden. Ein halber Abend genügt dafür. Er wird mehr bringen als ganze Bücher. Freunde aus Ost und West können dieses wesentliche Gespräch führen, Arbeitspartner oder Ferienbekanntschaften. Es kostet nichts – außer neunzig Minuten Zeit – und ist denkbar einfach. Wo man ungestört sein kann, ist Platz für ein Zwiegespräch. Anders als bei den Paargesprächen müssen die Maßstäbe für das Ungestörtsein nicht so streng sein. Eine ruhige Ecke in einer Wohnung, auf einem Platz, in Kneipe, Café oder irgendwo im Freien reichen aus. Bei Familien, die lange Zeit getrennt lebten, gehen solche Gespräche in ganz persönliche Zwiegespräche über. Einen kurzen Überblick bietet dafür der Briefessay, der das erste Kapitel meines Buches «Die Liebe ist das Kind der Freiheit» bildet.*

Zu warnen ist vor einer *Unterschätzung der Grundordnung*. Sie entspringt oftmals einem unbewußten Widerstand. Um ihr gegenzusteuern, sollte man die Regeln nach Möglichkeit so beachten, wie sie weiter unten beschrieben ist. Denn sehr häufig werden diese Zwiegespräche nur einmal mit einem Partner stattfinden, so daß ein Erfahrungslernen entfällt. Vor allem scheinen mir anderthalb Stunden nötig zu sein, obwohl vielen das recht lang vorkommen mag. Eine Beziehung aber braucht Zeit, sich entfalten zu können – zwischen Partnern wie zwischen Fremden.

West-östliche Zwiegespräche – Frauen und Männer, Junge und Alte je nach Wunsch zu Paaren kombiniert – können also

– nur *einmalig* mit einem bestimmten Partner stattfinden (wer Mut

* Michael Lukas Moeller: Die Liebe ist das Kind der Freiheit, Reinbek 1986 und 1990.

hat, kann auch einmal einen ganz Fremden für ein solches Gespräch zu gewinnen versuchen);

– sie können aber auch *wiederholt* mit *demselben* Partner geführt werden, wie wir es für dieses Buch praktizierten:
  - entweder in *Zeitabständen* – regelmäßigen oder unregelmäßigen, langen oder kurzen, wie es die Begegnungen eben möglich machen
  - oder *gebündelt* zu einem einzigen Zeitpunkt – dabei reicht nach jeweils neunzig Minuten eine Viertelstunde Pause (für zwei Zwiegespräche hintereinander benötigt man dreieinviertel Stunden, das ist die Zeit eines überlangen Films; für drei Gespräche sind fünf Stunden nötig, beispielsweise zwischen Mittagessen und Abendbrot; manche gehen noch intensiver vor, sechs Gespräche am Tag sind möglich, wenn man vormittags, nachmittags und abends je zwei vorsieht);

– *sie können je nach Gelegenheit nacheinander oder in Serie* mit jeweils *anderen* vereinbart werden – bei einem Ferienaufenthalt etwa, während gemeinsamer Unternehmungen, zu größeren Treffen oder auf Tagungen; in kleinen Gruppen kann so jeder mit jedem nach und nach vertraut werden; acht Personen können beispielsweise in vier Zwiegesprächspaaren parallel miteinander reden und nach jedem Gespräch reihum wechseln; in solchen Gesprächen wird die erlebte, hautnahe Einsicht in die Lebenswelt des anderen unvergleichbar konzentriert.

Impulse durch Organisationen: Zeiten oder Treffen für Zwiegespräche

Damit wäre auch schon der Übergang zu mehreren parallelen Zwiegesprächen auf *größeren Versammlungen* gegeben. Denkbar wäre es, daß Organisationen wie Gewerkschaften, Betriebe und Unternehmen, Kirchen, Jugendverbände, Vereine der öffentlichen Wohlfahrt, Selbsthilfegruppen, Parteien oder Fachverbände

– entweder im Rahmen ihrer Versammlungen gezielt *einen Zeit-*

raum für einen solchen west-östlichen Austausch von neunzig Minuten in Zweiergesprächen *freihalten*

– oder extra *Zwiegesprächstreffen* vorsehen und dazu beispielsweise für einen Abend, einen Tag, ein Wochenende einladen.

Dabei empfiehlt sich ein Dreischritt:

1. Zu Beginn wird das Zwiegesprächsverfahren kurz vorgestellt.
2. Dann gruppieren sich die Anwesenden, wie sie gerade sitzen oder wie sie wollen, zu Gesprächspaaren. Sie führen parallel in einem großen Saal oder auf Räume verteilt ihre Zwiegespräche. Je nach vorgesehener Zeit kann danach auch mit jeweils einem anderen ein weiteres Zwiegespräch folgen.
3. Wenn Interesse besteht, können Zwiegesprächspaare – entweder reihum oder nur einzelne – anschließend im Plenum berichten, wie sie ihren Austausch erlebt haben und was sie am stärksten beeindruckte. Durch diese größere Öffentlichkeit wird das Bewußtsein der gemeinsamen Situation, also die politische Dimension gestärkt. Dabei mag es manchmal angenehmer sein, mehrere nicht zu große, parallele Plena einzurichten – beispielsweise mit je sechs Paaren, also zwölf Personen. Die Wabenstruktur einer großen Versammlung in Form solcher Kleingruppen läßt ein Vertrauensklima wachsen, was in Großgruppen wegen ihrer fundamental anderen psychischen Wirkung nur selten möglich ist.

Die Grundordnung der Zwiegespräche

Die Grundordnung enthält die Bedingungen, auf die es ankommt. Ohne diesen Rahmen gelingen Zwiegespräche nicht. Er scheint so leicht, daß er oft nicht beachtet wird. Doch jedes seiner Elemente ist entscheidend für die Wirkung der wesentlichen Gespräche:

Zwiegespräche brauchen wenigstens anderthalb Stunden ungestörte Zeit. Jeder spricht über das, was ihn bewegt – wie er gerade sich, den anderen, die Beziehung und sein Leben erlebt. Er bleibt also bei sich. Das Gespräch hat kein anderes Thema, wenn man sich auch vorab oder im Verlauf des Gespräches auf große Themenkreise des persönlichen Lebens wie Familienleben, Freundschaften, Arbeit, Einstellung zu Öffentlichkeit und Politik oder Paarbeziehung und Erotik einigen kann. Im übrigen ist das Gespräch so offen wie möglich, das heißt kaum festgelegt (fachsprachlich: «minimalstrukturiert»). Äußern und Zuhören sollten möglichst gleich verteilt werden. Schweigen und Schweigenlassen, wenn es sich ergibt. So sind ausgeschlossen: bohrende Fragen, Drängen und sanfte wie heftige Versuche, den anderen einfach zu übergehen. Zwiegespräche sind kein Offenbarungszwang. Jeder entscheidet für sich, was er sagen mag, auch wenn größtmögliche Offenheit in der Regel am weitesten führt.

Sich wechselseitig einfühlbar zu machen ist das erste Ziel der wesentlichen Gespräche. Nur so können wir uns wirklich miterleben. Wenn uns das gelingt, beginnen wir zu begreifen, was eine Beziehung wirklich vermitteln kann. Viele werden schon beim erstenmal sehr vertraut miteinander; denn je mehr ich von einem anderen erfahre, desto sympathischer wird er mir in der Regel.

Es gibt darüber hinaus kaum Richtlinien. Wenn beide für dieses sogenannte «setting» sorgen, sorgt es seinerseits für alles. Vor allem garantiert es die unbewußte Selbstregulation des Gespräches. Der Stoff geht dem Gespräch nie aus, weil das eigene Erleben mehr als genug bietet. Es gibt aber Momente, in denen es so scheint, als versiege nun die innere Quelle. Dann hat das Unbewußte abgeschaltet – meist aus Scheu, mit dem fortzufahren, was im Gespräch mobilisiert wurde. Gelingt es dann, die Befürchtungen auszusprechen, stellt sich der Redefluß oft wieder ein.

Im übrigen gibt es auch einen deutlichen Geschlechtsunterschied beim Reden: Frauen fällt es in der Regel leichter, ihre innere Situation in Worte zu fassen, als Männern, die lieber Fakten vorbringen. Viele Männer halten ein Sprechen über Erlebnisse und Gefühle für überflüssiges Zeug. Ihre Erziehung, die stärker an Sachleistungen orientiert ist, und ihr stärkeres Eingebundensein in Wirtschaft und Beruf sind unter anderem für diese Einstellung verantwortlich.

Oft ist man versucht, den seelischen Schwerpunkt im Gespräch von sich auf den anderen zu verschieben. Dann befindet man sich mit seinem Erleben beim anderen – und hat sich selbst vermieden. Auf diese Weise geht die innere Balance des Gespräches verloren, die einen gleichrangigen Austausch anstrebt, und mehr noch: beide erfahren weniger über ihren Unterschied. Die Einfühlung wird gebremst.

Zur Qualität der Zwiegespräche

Fünf Einsichten machen den «Geist» jener Zwiegespräche aus, die für eine lebendigere Paarbeziehung entworfen wurden. Sie entsprechen den fünf Grundbedingungen einer guten Beziehung, an die viele nicht mehr recht glauben wollen. Diese Erkenntnisse sind Entwicklungsziele, nicht etwa vollendete Tatsachen, denen jeder folgen muß wie vorgegebenen Regeln. Sie gleichen eher einer Sprache der Zweierbeziehung, die wir mit der Zeit erlernen können. In meinem Buch «Die Wahrheit beginnt zu zweit» habe ich sie ausführlich dargestellt.

Nur ein Teil davon scheint mir für die west-östlichen Zwiegespräche unentbehrlich. Vielleicht aber ist es doch von Bedeutung, zu wissen, daß diese Grundbedingungen als Ganzes und nicht als Einzelteile verstanden werden müssen. Sie geben eine Grundstruktur der Beziehung wieder, die ziemlich genau der Gestalt der «genügend guten» Mutter – ein Begriff des Psychoanalytikers Winnicott – entspricht, besser gesagt: der Beziehung, die sich zwischen ihr und dem kleinen Kind herstellt. Zu ihr gehören Einfühlsamkeit, Zugewandtheit und Achtung der Bedürfnisse des anderen. Genau diese Qualitäten machen auch die wirklich menschliche Beziehung unter Erwachsenen aus. Mit ihnen kann es nicht zu der üblichen «Kolonialisierung» des anderen kommen, indem einer über den anderen etwas behauptet und ihn damit als kleine Provinz in das Weltreich seiner Wirklichkeitsauffassung eingemeindet. Und um genau diese Haltung aufzulösen, sind Zwiegespräche zwischen Ost- und Westdeutschen ja gedacht.

Von den fünf Grundeinsichten scheinen mir drei sinnvoll für die hier vorgestellten west-östlichen Zweiergespräche:

1. Wir können lernen, von der wechselseitigen Unkenntnis auszugehen statt von der gleichen Wellenlänge: *«Ich bin nicht du und weiß dich nicht.»*

Kurz gefaßt geht es um unsere Neigung, die Andersartigkeit des andern zu unterschlagen, weil wir uns unbewußt eine schnelle gemeinsame Geborgenheit wünschen. Um uns kennenzulernen, müssen wir erst lernen, uns nicht zu kennen. Das scheint mir auch für die west-östlichen Gespräche ein sinnvolles Ziel zu sein. Die «gleiche Wellenlänge», die wir gern mißbrauchen, um Konflikte unter den Tisch zu kehren, wirkt sich dort von selbst aus, wo sie gegeben ist. Um sie müssen wir uns nicht weiter sorgen. Die Grundeinstellung sollte also davon ausgehen, daß dasselbe Ereignis von uns beiden ganz unterschiedlich erlebt wird.

2. Wir können lernen, wesentliche Gespräche als Kreislauf einer lebendigen Beziehung zu begreifen, statt mit Worten unsere Beziehung nur noch zu verwalten: *«Daß wir miteinander reden, macht uns zu Menschen.»*
Dieser letzte Satz stammt von dem Philosophen Karl Jaspers und hatte durchaus einen politischen Sinn. Viele scheuen sich vor direkten Gesprächen und argumentieren mit einer Fülle von Vorwänden dagegen – meist mit der platten Behauptung, «das bringt doch nichts». Probieren geht über Studieren. Es braucht vielleicht einige Rückbesinnung, ehe einem einleuchtet, daß Gespräche unter Menschen beziehungsstiftend sind. Ich bin sicher, daß jeder in seinem Leben den Wert wesentlicher Gespräche kennengelernt hat – merkwürdigerweise aber wird diese Selbsterfahrung nicht ernst genommen. Die Sprachlosigkeit der Menschen verbreitet sich so erschrekkend wie die Wüstenzonen der Erde, trotz des Massensprachsalates aus Medien und Werbung. Dabei geht es nicht nur um die unmittelbare Sprachlosigkeit, sondern auch um das Ausweichen ins techni-

sche, sachliche oder verwaltende Reden. Damit werden Anweisungen zum Handeln ausgetauscht – nicht Erlebnisse. Wir sprechen «über» etwas – und nicht von uns. Wir kommen nicht mehr dazu, uns auszusprechen, und zwar im doppelten Sinne: uns aus uns heraus zu äußern – und miteinander zu reden, bis das gesagt ist, was uns bewegt. Gelingt uns das, werden wir auch feststellen, daß vier Augen mehr als zwei sehen. Die wechselseitige Bindung ermöglicht gleichsam einen doppelten Verstand.

3. Wir können lernen, in konkreten Erlebnissen statt in Gefühlsbegriffen zu sagen, was wir meinen: *In Bildern statt in Begriffen sprechen.*

Wir reden üblicherweise – auch wenn es um unsere Gefühle geht – in begriffsartigen Kürzeln: ich finde das «furchtbar» oder «toll» oder «aufregend». In diese Allerweltswörter kann jeder hineinlesen, was er will. Sie fördern wechselseitige Projektionen. Im Ost-West-Zweiergespräch geht es aber gerade darum, Projektionen aufzuheben, indem man sich einfühlbar macht. Ein Bild ist dafür mehr wert als tausend Worte. Es gelingt relativ schnell, sich den «inneren Film», die kleinen konkreten Szenen bewußt zu machen, die zu dem jeweiligen Wortbegriff führten. Eine solche oft winzige, auf alle Fälle konkrete, erlebte Szene detailliert mitzuteilen, bewirkt beinahe schlagartig eine umfassende Einfühlung. Der Wirkungsgrad des Gespräches wird deutlich erhöht.

Ein Beispiel aus «Die Wahrheit beginnt zu zweit»: Mann und Frau sitzen beim Abendbrot. Er sagt: «Ich finde dich toll.» Die Frau – zwiegesprächserfahren wie er – fragt: «Das finde ich schön, es tut mir gut, aber was meinst du mit ‹toll›? Sag mir das in einem Bild.» Der Mann: «Warte, einen Moment – ja, gestern morgen sah ich dich vom Auto aus, wie du auf dem Rad mit dem leichten, wehenden Rock um die Straße bogst. Die Sonne leuchtete durch deine langen Haare – diese Szene, das meine ich mit ‹toll› – du kommst mir darin so leicht, klar und ausgeglichen vor, ganz du selbst, finde ich.»

Während unserer Zwiegespräche in diesem Buch kommen gelegentlich auch solche Nachfragen nach konkreten Szenen vor, obwohl wir uns beide von vornherein bemühten, bildhaft und konkret zu bleiben. Die Bildersprache ist der Begriffssprache an Informationsfülle weit überlegen. Es kommt mehr «rüber». Und das ist ja das Hauptziel der west-östlichen Gespräche.

Weniger bedeutsam, aber auch nicht gerade belanglos erscheinen mir die beiden anderen Einsichten, die vor allem für eine kontinuierliche Paarbeziehung Brisanz haben:

1. Wir können lernen, unser gemeinsames unbewußtes Zusammenspiel wahrzunehmen, statt uns als zwei unabhängige Individuen aufzufassen: *Wir sind zwei Gesichter einer Beziehung und sehen es nicht.*
Zwei Menschen, die eine intensivere Beziehung verbindet, sind mit jedem Wort unbewußt aufeinander abgestimmt. Dieses unbemerkte und erstaunliche Zusammenspiel – fachsprachlich: Kollusion – prägt das gesamte Verhalten und Erleben des einen durch den anderen und umgekehrt. Das Tun des einen ist gleichsam das Tun des anderen. Dadurch werden beispielsweise Vorwürfe und Selbstvorwürfe als Abwehrmanöver enttarnt; denn jeder wirkt im anderen mit. Bei zwei Menschen, die sich erstmals begegnen – das dürfte bei West-Ost-Begegnungen oft der Fall sein –, ist dieses Zusammenspiel wahrscheinlich geringer ausgeprägt. Dennoch ist das, was in einem Gespräch vor sich geht, viel mehr als das gesprochene Wort. Die unbewußte Beziehung ist schneller und zehnmal umfangreicher als die bewußte. Wer also mit einem anderen für anderthalb Stunden spricht, hat sehr viel mehr erfahren, als ihm bewußt wird. Die Modulation der Stimme, die Bedeutungen zwischen den «Zeilen», die Bewegungen und Haltungen während des Sprechens, die sogenannte Mikrogestik, bewirken das.

2. Wir können lernen, auch unsere Gefühle als unbewußte Handlungen mit geheimer Absicht zu verstehen, statt zu meinen, sie überkämen uns von innen – wie Angst und Depression – oder würden uns von außen gemacht – wie Kränkung und Schuldgefühl: *Ich bin für meine Gefühle selbst verantwortlich.*
Vielleicht ist aus dieser oft bitteren Erkenntnis das am bedeutsamsten für die hier vorgeschlagenen Gespräche, was ein englisches Sprichwort so ausdrückt: «If you want a thing done, do it yourself.» Warte nicht, daß der andere den ersten Schritt mache, sondern mache ihn selbst. Das geht natürlich in seelische Tiefen und ist oft mit Ängsten verbunden. Der Satz fordert auf, eigenständig zu handeln, selbstverantwortlich zu sein, bei sich zu bleiben und zu sich zu stehen. Für die Ost-West-Gespräche ist das unschätzbar:

«Wisset, daß der Freund seiner selbst auch der Freund anderer ist.» (Seneca)

Die Autoren

Hans-Joachim Maaz, Jahrgang 1943, ist seit 1980 Chefarzt der Psychotherapeutischen Klinik im Evangelischen Diakoniewerk Halle. Entgegen den in der DDR geltenden Tabus setzte er sich frühzeitig für psychoanalytische und körperorientierte Therapieformen ein. Durch sein Buch «Der Gefühlsstau» (1990) sowie durch zahlreiche Vorträge und Diskussionsbeiträge in Presse, Funk und Fernsehen erregte Maaz in ganz Deutschland weit über die Fachöffentlichkeit hinaus Aufsehen. Maaz ist einer der Mitbegründer der «Akademie für psychodynamische Therapie und Tiefenpsychologie» in der DDR und wurde 1989 Vorstandsmitglied der «Gesellschaft für Psychotherapie, Psychosomatik und Medizinische Psychologie der DDR».

Michael Lukas Moeller wurde 1937 in Hamburg geboren. Studium der Medizin und Philosophie. Als ausgebildeter Psychoanalytiker habilitierte er sich für das Fach Psychotherapie und Psychosomatische Medizin. Seit 1973 hatte er in Gießen eine Professur für seelische Gesundheit inne. 1983 übernahm er den Lehrstuhl für Medizinische Psychologie an der Universität Frankfurt. Zur Zeit ist er dort Geschäftsführender Direktor des Zentrums der Psychosozialen Grundlagen der Medizin. Veröffentlichungen u. a.: «Selbsthilfegruppen. Selbstbehandlung und Selbsterkenntnis in eigenverantwortlichen Kleingruppen» (1978); «Anders helfen. Selbsthilfegruppen und Fachleute arbeiten zusammen» (1981); «Die Liebe ist das Kind der Freiheit» (1986); «Die Wahrheit beginnt zu zweit. Das Paar im Gespräch» (1988).